A história de
Lula
O FILHO DO BRASIL

OBJETIVA

DENISE PARANÁ

A história de
Lula
O FILHO DO BRASIL

OBJETIVA

Todos os direitos desta edição reservados à
EDITORA OBJETIVA LTDA.
Rua Cosme Velho, 103
Rio de Janeiro — RJ — CEP: 22241-090
Tel.: (21) 2199-7824 — Fax: (21) 2199-7825
www.objetiva.com.br

Capa
Adaptação de Estúdio Insólito para cartaz de Espaço/Z

Projeto gráfico
Estúdio Insólito

Imagens de miolo
Arquivo pessoal Luiz Inácio Lula da Silva

Revisão
Rita Godoy
Lilia Zanetti
Ana Kronemberger

Editoração eletrônica
Abreu's System Ltda.

CIP-BRASIL. CATALOGAÇÃO-NA-FONTE
SINDICATO NACIONAL DOS EDITORES DE LIVROS, RJ

P242h Paraná, Denise
      A história de Lula: o filho do Brasil / Denise Paraná. - Rio
de Janeiro: Objetiva, 2009.
      il.

    139p.   ISBN 978-85-390-0037-1

      1. Silva, Luiz Inácio Lula da, 1945-. 2. Políticos - Brasil -
Biografia. 3. Sindicatos - Brasil - Dirigentes e empregados -
Biografia. I. Título.

09-5437.   CDD: 923.1
                CDU: 929:320.981

Apesar de parecer ficção,
todos os fatos relatados aqui são reais.

A vida da gente faz sete voltas — se diz.

A vida nem é da gente...

Aprender-a-viver é que é o viver, mesmo.

João Guimarães Rosa

Grande sertão: veredas

Para Lindu,
fonte infinita de leite em meio à seca de nossos sertões,
e para todos aqueles, homens e mulheres,
mestres em possibilitar o impossível.

Este livro é baseado em pesquisas biográficas recentes realizadas em São Paulo e no sertão de Pernambuco, e em minha tese de doutorado em Ciências Humanas, defendida na Universidade de São Paulo em 1995, intitulada "Da cultura da pobreza à cultura da transformação — A história de Luiz Inácio Lula da Silva e sua família".

Minha imensa gratidão:

À família Silva, Lindu, Aristides, Lula, Frei Chico, Vavá, Marinete, Maria, Ruth, Jaime, Zé Cuia e suas esposas, maridos e filhos. Lambari, Lourdes, dona Ermínia e tia Luzinete.

Aos professores Antônio Cândido, Emanuel Soares da Veiga Garcia, Osvaldo Coggiola, Antônio Vitor Paraná, Nina Paraná e Thomaz Henrique Furia.

A Carlos Augusto e a Ana Clara, estrelas que me iluminam e indicam caminhos.

SUMÁRIO

Parte I

Parte II

Parte III

LEMBRANÇAS

A primeira foto de Lula, aos 3 anos, em 1949: os sapatos, que ele nunca havia usado, foram emprestados pelo fotógrafo

A foto antiga de Lula não saía de sua cabeça. Ele tinha só 3 anos. Ela lembrava cada detalhe daquele dia no sertão de Pernambuco. Foram quilômetros a pé, levando o filho pela mão, de Caetés até Garanhuns. O fotógrafo emprestou roupa e sapatos. Lula tinha só um calção e uma camisa velha. Nunca havia experimentado sapatos, e aqueles eram um pouco maiores do que seus pés. Mesmo assim, ficou bonito.

Lindu gostava de tirar fotos dos filhos. Já tinha perdido tantos... A foto, pelo menos, ela podia guardar. Mas aquele filho, por sorte, o destino não levou embora. Estava na foto do sertão e nas fotos da revista que ela segurava nas mãos. Agora Lula já era homem-feito e aparecia cercado de uma multidão de gente que não acabava mais. A enfermeira entrou no quarto:

— Dona Lindu, a senhora está bem? Vim trocar seu soro.

— Ah, obrigada.

— A senhora já viu a revista? Seu filho não para de sair nas revistas! Gente famosa é assim...

Lindu sorriu. Para ela, fama não significava nada. Ela amava seus filhos, famosos ou não. As empregadas domésticas, os marceneiros, todos do mesmo jeito. Fama para quê? Tinha vivido uma vida anônima. E era feliz.

No quarto do Hospital da Beneficência Portuguesa, em São Caetano, São Paulo, ela sabia que estava no fim. Mas não se importava. Havia passado momentos de prazer naquele 11 de maio de 1980. Seus filhos tinham acabado de ir embora. Que dia das mães maravilhoso. Por isso, preferiu não refletir sobre o fim. Melhor pensar nas lembranças de vida. Tanta vida.

PARTE I

Dona Lindu, em 1969

O GRANDE SERTÃO

Lindu nasceu na fazenda de Cajarana, em Caetés, município de Garanhuns, em 1915. Filha de José Ferreira de Melo e Otília Perciliana da Silva, tinha a pele clara, cabelos loiros e olhos azuis, como seus avós italianos. Era um bebê bonito, apesar de um problema no pé direito, que o manteve levemente torto para o resto de sua vida. Ela cresceu entre seus irmãos Carmelita, Luzinete, Maria José, José Rádio, Dorico, Ananias, Estaquinho e Sérgio. Mas não conviveu por muito tempo com seu pai, morto aos 40, provavelmente de câncer.

Sua mãe Otília, ou Mãe Tili, era costureira respeitada na região. Recebendo um corte de tecido, o devolvia quatro horas depois como um terno de caimento perfeito. A viúva sustentava assim sua família. Mãe Tili ficou conhecida por sua simpatia, mas também por seu vício: era alcoólatra. Costumava trocar seus serviços de costureira, uma camisa, por exemplo, por meio litro de cachaça. O preço era baixo; o corte, benfeito; mas o resultado, quase sempre, era Otília caída no chão, inconsciente.

Lindu passou toda sua infância e adolescência na fazenda de Cajarana, onde se misturam terras do sertão e do agreste de Pernambuco. Com sua mãe e suas tias, aprendeu desde criança as tarefas consideradas femininas: os cuidados com a casa, a comida, a roupa, os animais, a roça. Pequena, embalava bonecas de sabugo de milho com cabelos vermelhos feitos de palha. Com irmãs e primas, brincava de equilibrar pedrinhas na palma das mãos ou entre os dedos. Caçava borboletas, joaninhas e outros insetos coloridos. Sua família não tinha dinheiro, mas também não era pobre para os padrões locais. Viviam como Deus mandava.

Lindu crescia sem sobressaltos. Esperava-se que ela se tornasse mulher, casasse, parisse muitos filhos e morresse como boa dona de casa. Por isso, Lindu não aprendeu mais do que aquilo de que precisaria na roça. O desenho das letras, dos números fazia parte de um mundo distante. Ela acreditava que seu destino mudaria apenas se Deus a levasse embora, como fez com sua irmã Maria, que morreu na adolescência, atacada por uma doença que chamavam de "mijo de rato".

Sem nunca usar sapato, conhecer luz elétrica ou ter se afastado mais do que algumas léguas de onde nasceu, Lindu aprendeu a ter prazer em tudo o que a vida oferecia. Era uma alma leve. Tinha olhos para a beleza. Como suas irmãs, adorava frequentar as festas da região. E poucas pessoas eram mais festeiras do que seu vizinho João Grande, homem forte, plantador de melancia, que — ela nem imaginava — anos mais tarde se tornaria seu sogro.

As festas na casa de seu João Grande eram famosas, celebradas com bacamartes e tudo a que se tinha direito. Quando os homens puxavam os gatilhos de seus mosquetões, as mulheres corriam para dentro de casa, rindo. Na mesa, carnes de todos os tipos: galinha, peru, porco, vaca e, o que nunca podia faltar, buchada de bode. Para quem quisesse havia ainda milho assado, canjica, biju, pamonha, farinha de mandioca e feijão-de-corda. De sobremesa, rapadura, marmelada, goiabada e os doces em calda, como o de jaca e até o da fruta do mandacaru.

DENISE PARANÁ

João Inácio da Silva, o João Grande, e Guilhermina da Silva, avós paternos de Lula

As festas reuniam dezenas de vizinhos. Lindu adorava fazer e manter amigos. Ela também amava música e, por toda a vida, nunca deixou de cantar cantigas que aprendeu no agreste, no ritmo das colheres que batia com a mão.

MIRA PERFEITA

Filho de João Inácio da Silva, o João Grande, e Guilhermina da Silva, Aristides Inácio da Silva, nascido em 1913, era um moço forte que não tinha medo de trabalho. Caçador de ótima pontaria, matava raposas e outros animais que aparecessem na sua mira. Quando o coração de caçador de Aristides mirou no de Lindu, ela caiu sorrindo, abatida de satisfação. Aristides era sedutor e, ainda assim, parecia moço de respeito. Os cabelos pretos, os olhos castanhos, penetrantes, o sorriso aberto cativaram Lindu. Ele era respeitado e admirado. Afinal, era *Aristides, o caçador.*

No início do século passado, nordestinos tinham poucas chances de conhecer alguém fora de seu povoado. Vivendo uma existência praticamente isolada, as famílias Broca, Ferreira e Melo, de Lindu, e Inácio e Silva, de Aristides, casavam seus filhos entre si. O amor brotava e crescia em solo próximo e bem conhecido. Casar em família era a regra.

Todos se conheciam desde sempre e, na hora em que os hormônios avisavam que a vida adulta havia chegado, alguns já sabiam quem seria seu par. Quando isso acontecia, tudo mudava. Abraços, sorrisos, brincadeiras, nada mais era permitido. Conversas se transformavam em silêncio. Antes do casamento, demonstração de carinho não era bem-vista. Moça direita precisava manter-se pura. E essa castidade não era exigida apenas para o corpo. As moças também precisavam ter a mente limpa. Imaginava-se que não saber nada sobre o desejo entre os sexos seria uma forma de mantê-lo bem longe.

Lindu casou sem ter recebido qualquer explicação para o milagre da procriação. Nada era mais tabu do que aquilo com que os animais se ocupavam livremente a céu aberto, na frente das crianças. Por isso, Lindu e sua irmã Luzinete acreditaram por muito tempo numa conversa sussurrada por uma prima:

DENISE PARANÁ

— Quando uma mulher troca de roupa num quarto e um homem vê a mulher pelo buraco da fechadura... pimba! A mulher fica embuchada!

PIOLHOS

A diversão entre as mocinhas era reunir-se sob um pé de juá ou de mulungu, jogar conversa fora, revelar segredos e brincar com sementes de fava. Um dia Lindu, Luzinete e algumas primas conversavam animadas quando três rapazes apareceram em seus cavalos, querendo paquerar. Como fazia muito sol, um deles ofereceu seu chapéu para Lindu. Quando ia colocá-lo na cabeça, ela olhou para o chão e sorriu. Decidiu devolver o chapéu para o moço. Quando os rapazes foram embora, Luzinete cutucou:

— Não tinha nenhum problema você colocar o chapéu! Ele não ia achar que você não era direita só porque aceitou o chapéu!

— Tinha problema, sim. Na hora de colocar na cabeça eu vi que o chapéu estava cheio de piolhos. Um piolhento! Com esse moço eu não caso.

O vento da sorte soprou a favor de Aristides.

CASAMENTO

O casamento de Lindu e Aristides foi uma festa bonita, cheia de convidados, de comes e bebes, embalada ao som do sanfoneiro, como manda a tradição local. Os noivos, como era costume, não se casaram no civil. O que importava eram os olhos de Deus.

O casal parecia viver muito bem. Aristides era trabalhador e sabia como afagar a terra. Ela respondia ao seu carinho produzindo mandioca, milho, batata-doce, feijão. A proteína animal vinha da caça. De vez em quando, Lindu cozinhava galinha, peru, porco, bode, ou até uma vaca nos dias de festa. Aristides, montado em seu cavalo, ia comprar na feira livre de Garanhuns os itens que faltavam: querosene para o candeeiro, munição para a espingarda, açúcar, sal, sabão. Às vezes banana, biscoito e rapadura. E nunca deixava faltar água em casa. Chegava a pagar alguém para buscá-la, com o dinheirinho que ganhava na venda de farinha de mandioca, que ele mesmo fazia em um moinho próximo.

DESEJOS E SEGREDOS

Cumprindo suas obrigações de esposa, entregando seu corpo aos desejos do marido, e talvez aos seus próprios, Lindu descobriu segredos. E logo se tornou mãe. Ano a ano, os filhos chegaram. Em 1936 nasceu José Inácio da Silva, apelidado mais tarde de Zé Cuia, por usar sempre uma pequena cuia de água para molhar e pentear o cabelo. Em 1937, veio Jaime Inácio da Silva. Em 1938, Lindu deu à luz sua primeira filha, Marinete Ferreira da Silva. Em 1939, nasceu Genival

Em sentido horário, Marinete, Jaime, Maria Baixinha, Vavá e Zé Cuia

Inácio da Silva, apelidado de Vavá. O ano seguinte não foi feliz, Lindu perdeu um bebê. Foi então que fez promessa para São José, pedindo por um filho que, se fosse saudável, teria o nome do santo. Em 1942, nasceu José Ferreira da Silva, conhecido na família como Ziza e, depois de adulto, como Frei Chico. Em 1943, Maria Ferreira da Silva, a Maria Baixinha, veio ao mundo. Em 1944 a tristeza voltou a visitar os Silva, Lindu perdeu mais um filho. No ano seguinte, conhecendo então seu corpo e os sinais de uma vida por vir, Lindu percebeu mais um filho a caminho e rezou muito por ele.

TRAIÇÃO MUDANDO DESTINOS

Aristides, o homem que Lindu tanto amava, porém, não era fiel no casamento. Mergulhado na cultura machista de sua época, orgulhoso de sua masculinidade, ele não deixava de cobiçar outros rabos de saia.

Sem imaginar as aventuras do marido, Lindu cuidava dos filhos com carinho. E como suas obrigações eram muitas, acabou por aceitar a sugestão de que uma prima, com cerca de 13 anos, a ajudasse no trabalho doméstico. Apelidada de Mocinha, era uma adolescente linda, de olhos e cabelos castanhos. Logo pegou prática no trabalho. A admiração que Mocinha tinha por Lindu, e por tudo o que pertencia a ela, inclusive seu marido, crescia a cada dia. Ninguém suspeitava que a decisão de Lindu de aceitar a ajuda da prima terminaria numa história típica de folhetim. A chegada de Mocinha, em vez de ser algo banal, provocou uma situação que mudaria sua vida e a de toda a família Silva. É impossível reconstituir a história em detalhes. Mas o fato é que Mocinha e Aristides se tornaram amantes. Não se sabe o quanto Aristides investiu nessa aventura. Ou se foi Mocinha quem decidiu conquistá-lo. O que se sabe é que, no ano de 1945, Lindu e Mocinha estavam grávidas, ao mesmo tempo, do mesmo homem. Mas Lindu não sabia de nada.

Com a esposa e a amante esperando filhos seus, Aristides decidiu partir para longe. Sua mira certeira agora não via mais raposas, mas o rumo de São Paulo. Assim, em agosto de 1945, vendeu seu cavalo e disse para Lindu que dentro de poucos dias subiria no primeiro pau de arara em direção à cidade grande. O motivo, ele dizia, era a seca. Iria ganhar a vida no Sul e, de lá, enviaria dinheiro para o sustento da família.

ADEUS

Era uma manhã cinzenta quando Aristides fechou sua mala de couro remendada. Os olhos de Lindu transbordaram. Os filhos enfileiraram-se na soleira da casa, tentando decifrar aquele evento incompreensível. Antes de partir, Aristides entregou ao filho predileto, Vavá, um antigo vidro de perfume. Com o coração aos galopes, acariciando a barriga que trazia o próximo filho, Lindu observou Aristides sumir na poeira da estrada. Agora estava só. E temia pela vida de seus pequenos e do sétimo filho por vir. Este, coitado, nasceria sem o pai.

Poucos quilômetros adiante, embaixo da sombra de uma árvore à margem da estrada, Aristides encontrou Mocinha. Caminharam juntos até a venda de onde sairia o pau de arara e partiram para São Paulo. A viagem precária anunciava ao casal que seus dias não seriam fáceis.

Ao chegar ao estado de São Paulo, Aristides foi aconselhado a ir para a cidade de Santos, onde tentaria emprego como estivador. Um trabalho de acordo com suas capacidades físicas e, para seu padrão, muito bem remunerado. Além do mais, carregar peso era quase tudo o que a cidade grande poderia reservar para um analfabeto. Mas assim que Aristides chegou, sofreu um acidente. Uma lata enferrujada rasgou seu pé descalço, atingindo o osso. A infecção que surgiu no ferimento quase o derrubou para sempre. Por pouco Lindu não se tornou viúva logo naqueles dias.

NASCE LUIZ

Na tarde do dia 27 de outubro de 1945, muito longe de Aristides, Lindu se contorcia de dor. Ela esperava pela ajuda de sua parteira, uma mulher muito gorda, que logo chegaria montada em seu jegue. Experiente nas artes do nascer, a parteira que ajudou Lindu a dar à luz todos os seus filhos conhecia também os mistérios do morrer. Havia feito incontáveis partos fracassados. Conhecia muitas histórias de mães perdendo filhos, filhos perdendo mães, filhos e mães perdendo-se juntos. A mortalidade infantil levava embora um terço das crianças que nasciam no interior de Pernambuco na década de 40. A parteira sabia que, por aqueles sertões distantes da cidade grande, a roda da fortuna podia girar livremente, no sentido que bem quisesse. E tinha girado contra a vida, no parto anterior de Lindu.

Sobre o fogão a lenha, a água fervia. As crianças já tinham sido avisadas para brincar em outro lugar. Mas gemidos de sua mãe fizeram com que se aproximassem da porta. Quando ouviram um choro forte de bebê rasgando o ar, entraram. Viram a mãe ofegante, exausta. Tinha sido longo o esforço de parir uma criança tão grande. Observaram a parteira entregar o bebê enrolado nos poucos pedaços de pano que existiam na casa. Lindu sorriu ao perceber que seu filho era um menino. E parecia saudável. A parteira sorriu junto, orgulhosa do trabalho benfeito, quando Lindu disse:

— Este vai se chamar Luiz. Luiz Inácio da Silva.

SOBREVIVÊNCIA

Agradecendo a Deus pela graça, Lindu pediu aos céus que seu bebê sobrevivesse. Talvez os céus tenham ouvido suas preces, talvez um anjo tenha passado naquele momento e dito "amém". Ou, simplesmente, talvez tenha sido obra do acaso. O fato é que o pequeno Luiz Inácio cresceu e vingou no momento de pobreza mais profundo que sua mãe conheceu. Se viver era duro ao lado de Aristides, sem ele ficou quase impossível. A vida daquele novo filho estava por um fio.

A sorte de Lindu foi o pequeno amparo de seu irmão Sérgio. Pobre como ela, Sérgio tinha uma dezena de filhos para criar, mas conseguia ajudar a irmã no roçado, na busca de água e, de vez em quando, na compra da feira. Outros parentes também contribuíram com mantimentos, água e, especialmente, o leite para as crianças, que o pequeno Luiz tomou com vontade.

A casa em que Luiz Inácio nasceu, em Caetés, no sítio de Vargem Comprida, era uma meia-água feita de estuque, caiada de branco. Tinha um quarto e uma sala, que também servia de cozinha. O chão era de terra. Não existia banheiro, nem dentro nem fora. O banho era semanal, em açudes que ficavam a 6 ou 8 quilômetros de distância.

As crianças dormiam juntas em redes, e a cama dos pais era um estrado de madeira com um colchão de palha de coco. Não existiam bancos nem cadeiras. Sua mãe muitas vezes usava como banquinho o único pilão de madeira da casa. A comida era servida no chão, em potes de barro, sobre uma esteira de palhinha. Só as crianças mais velhas usavam colheres. As menores eram alimentadas com angu e comiam com as mãos.

A água que a família bebia era transportada em latões, trazida de açudes ou de barreiros, buracos feitos na terra que serviam como reservatório de chuva. A sujeira era tanta que a água precisava ser coada. Depois, Lindu a colocava numa jarra de barro e esperava assentar. Só quando a camada de terra pousava no fundo, é que a água ainda salobra, amarelada e morna podia ser tomada. Às vezes, um sapinho, um grilo ou outro pequeno animal pulava para fora da jarra. As crianças riam.

REBANHO DE CRIANÇAS

Criados como num rebanho, Luiz Inácio e seus irmãos cresciam junto aos filhos de tio Sérgio e outros primos. Sem vestir nenhuma roupa, ou vestindo pouca coisa, já que o clima quente não exigia mais do que um calçãozinho, as crianças, descalças, corriam por toda parte. Quando a fome apertava, suas mãozinhas quebravam coquinhos, chamados de uricuri. Também gostavam de fazer biju, uma massa de farinha de mandioca que cozinhavam a céu aberto, sobre pedras. Às vezes tinham a sorte de encontrar um cajueiro, um pé de umbu carregado. Mas quando tentavam roubar melancias da plantação de seu avô, João Grande respondia com tiros de espingarda.

Quase sempre tinham como café da manhã feijão-de-corda misturado à farinha de mandioca. Ou uma espécie de mingau feito com um pouco de café e farinha. Era uma pasta indigesta, preparada para enganar o estômago das crianças por muitas horas. Nos dias de fartura comiam curau de milho ralado, cozido com um pouquinho de leite e uma pitada de sal. E se deliciavam.

Para as crianças, conseguir um pedacinho de carne era diversão. Com seus estilingues, acertavam beija-flores para assá-los enfileirados num espetinho. Luiz Inácio costumava ouvir de Vavá que os beija-flores eram tantos que pareciam um "empesto". Revoadas daqueles minúsculos seres caíam mortas enquanto as crianças gritavam, comemorando e já enchendo a boca de água. O mais divertido mesmo era caçar preá, um roedor parecido com rato. Divertido e perigoso. Precisavam fazer uma boa arataca para que aquela bolinha de pelos pudesse virar guisado. Mas o prato que agradava aos meninos também atraía as cobras. Preso na armadilha, o preá podia ser almoço de uma delas. Se os meninos pusessem a mão dentro da arataca sem olhar bem, em vez de ganhar um jantar, ganhariam um problema.

Como tantos Luízes nordestinos, Luiz Inácio recebeu o apelido de Lula. Por nunca ter sido apresentado à riqueza, Lula não sabia distinguir o rosto da pobreza. Quando estava brincando fora de casa, dividia com o gado a água do chão. E aproveitava para dar petelecos nos caramujos do fundo do barreiro. Talvez aqueles bichinhos que achava engraçados trouxessem esquistossomose. Mas naquele tempo, apenas brincar importava. O sertão era seu parque de diversões, e seu brinquedo favorito, o pé de mulungu dos arredores de sua casa. Do alto de seus galhos, Lula se sentia rei.

ENJAULADO

Lula tinha um ídolo: o irmão Ziza, mais tarde apelidado de Frei Chico e quatro anos mais velho que ele. Aonde Frei Chico ia, Lula ia atrás. Um dia, quando estava com 3 anos, Lula acompanhou Frei Chico, Maria Baixinha e Jaime até a casa de um compadre de sua mãe, Luiz Custódio. Iam buscar um galão de leite. Quando chegaram, Lula viu uma jumenta com sua cria recém-parida. Ele amava animais e não teve dúvida: saiu correndo para fazer carinho no filhote. Mas a jumenta entendeu o gesto como uma ameaça e abocanhou Lula violentamente pela barriga. As outras crianças começaram a berrar, enlouquecidas, enquanto a jumenta sacudia Lula no ar. Luiz Custódio jogou seu corpo contra o do animal, tentando a todo custo tirar o menino sequestrado aprisionado naquela jaula de dentes. Mas a jumenta estava enfurecida, totalmente arredia. Não tinha jeito. Luiz Custódio tirou uma peixeira e foi sangrando o animal no pescoço até que ele soltasse o caçula de sua comadre Lindu. Assustado, chorando, sujo e machucado, Lula foi solto. Passado o susto, o episódio se tornou motivo de piada na família.

MILAGRES

A distância entre o sítio de Vargem Comprida, em Caetés, e a cidade de Garanhuns, o centro da região, era longa. Lindu e seus filhos mal tinham acesso a médicos. No sertão nordestino era comum se apelar para um benzedor. Mas Lindu costumava pedir pessoalmente ajuda aos céus, sem intermediários. Era mulher de muita fé.

Lula ainda era pequeno quando Vavá ficou doente e parecia não ter mais chances de sobrevivência. Chegaram a colocar uma vela acesa em sua mão. Lindu resistiu. Não aceitava a ideia de perder mais um filho. E pediu ajuda aos seus santos. Não parou de rezar. Sem nenhuma explicação, num mundo em que poucas palavras eram ditas e menos coisas ainda explicadas, Vavá recuperou os sentidos e a saúde.

Lula nasceu e cresceu numa cultura que não duvidava do poder do invisível. Quando sua irmã Maria Baixinha parou de enxergar e caiu de cama, Lindu chamou Santa Luzia. E prometeu vestir a filha durante um ano com as cores da roupa da santa. Os olhos da menina nunca mais escureceram.

A VINGANÇA DOS MORTOS

A vida no sertão era dura, mas não botava medo. Medo, mesmo, Lindu e seus filhos tinham das coisas do outro mundo. O que os assombrava eram as histórias de alma penada, mortos que voltavam do além, monstros de todos os tipos. Parentes se reuniam para falar sobre um mundo povoado por lobisomens em noite de lua cheia. Mas quem apavorava mais era o Papa-figo, um velho horroroso que adorava comer o fígado de criancinhas malcomportadas. Havia ainda a "cobra mamadora", que saía escondida à noite para sugar o leite da mulher que amamentava, colocando seu rabo na boca do bebê.

As crianças mortas antes de serem batizadas recebiam o nome de "pagãozinhos". Eram enterradas em covas rasas, nas encruzilhadas do sertão. Sempre havia alguém que dizia ter ouvido seu choro numa beira de estrada. Era como se as crianças enterradas em silêncio tomassem a palavra. Mortas, elas se mantinham vivas no sentimento dos vivos.

Aristides, pai de Lula

O PAI

Aristides mandava de vez em quando algum dinheiro para o sertão. Também enviava e recebia notícias através de cartas que seus amigos alfabetizados ajudavam a escrever e entender. Cinco anos depois da ida para Santos, ele decidiu visitar sua terra. Havia tirado a sorte grande no jogo do bicho e podia dar-se o luxo.

Numa tarde de 1950, quando tinha 5 anos, Lula viu um homem desconhecido entrar em sua casa. Lindu contou que aquele era seu pai. Os irmãos mais velhos o reconheceram. Para Lula, aquele estava longe de ser um momento de emoção. Lindu era pai e mãe. Até então, o pai não fazia falta.

Sem nenhum constrangimento, Aristides chegou com duas crianças, os filhos que teve com Mocinha. Os irmãos de Lula olharam espantados para seus meios-irmãos. Não porque o pai tivesse outra família. Mas porque as crianças usavam roupas que eles consideraram maravilhosas. Invejaram suas camisas, meias, sapatos. Foi por isso que Vavá e Frei Chico decidiram levar os dois para conhecer os segredos do sertão. Lição número um: os efeitos da urtiga sobre a pele. Se os meninos se vestiam como príncipes, era bom que conhecessem as dores de seus serviçais.

Lindu olhou apenas o lado bom da visita de Aristides e acolheu os meninos que ele trouxe. E não se sabe se foi por amor ou por acreditar que devia obediência ao marido que ela entregou seu corpo a ele. Com ou sem mágoa, com ou sem prazer, voltava aos braços de seu homem. E não demorou a sentir que estava grávida. Mas as horas estavam contadas e novamente Aristides partiu.

Sua segunda partida foi ainda mais dura para Lindu. Chorando atrás da porta, ela viu Aristides levar Jaime, o filho que tanto amava e que, aos 12 anos, mais a ajudava. Tempos depois, Zé Cuia seguiu o mesmo caminho. Lindu estava sozinha mais uma vez. E mais uma vez com um filho por vir.

MENTIRAS MUDANDO DESTINOS

De 1950 a 1952 Pernambuco viveu secas terríveis. Lula viu sua família mergulhar na pobreza. Para os nordestinos, a vida parecia impossível. Era como se as nuvens se esquecessem de ser chuva. Não desaguavam. Nada mais cumpria seu papel. O chão ressecava, virava pó. A vegetação nem chegava a se tornar fruto, alimento. Tudo morria. Mas Lindu não queria para ela e seus filhos o mesmo fim. Foi então que Jaime escreveu para a mãe. Sua carta mudaria o destino de todos.

Na verdade, a carta era de Aristides, que ditou o texto para o filho escrever. Aristides disse que estava mandando dinheiro e que era para Lindu continuar por lá, cuidando bem de suas terras. Contou que a vida no Sul estava muito difícil. Mas Jaime, que se sentia sozinho e desamparado, escreveu palavras opostas:

"Lindu, vende tudo e vem para cá viver comigo. A vida aqui é melhor. Estou te esperando. Aristides."

Jaime tinha muito medo da reação do pai, mas a saudade da mãe falava mais alto. Aristides pediu para ver a carta. E a olhou com cuidado. Mas era cego para o alfabeto. Na travessia da barca de Santos, comprava o jornal e fingia que estava lendo. Queria parecer um homem culto. Às vezes, quando as páginas não tinham imagens, segurava o jornal de cabeça para baixo, pois não conhecia o desenho das letras.

A carta de Jaime seguiu seu caminho. E o pedaço de papel escrito com o esforço de quem se alfabetizou praticamente sozinho chegou às mãos de sua mãe. Emocionada, Lindu apertou a carta contra o peito, como se abraçasse um pouco do filho. Levou o papel para o amigo Tozinho, o dono da única venda próxima. Alfabetizado, ele era uma espécie de porta-voz local da civilização. Tozinho revelou o chamado de Jaime. Lindu acreditou, imaginando ouvir ali a voz de Aristides. Seu marido, o único homem de sua vida, a esperava. A carta trazia outro sentido para aquele momento duro de sua vida.

O PARTO

Era o ano de 1952. De pés descalços e lenço puído amarrando o cabelo, Lindu ouvia a voz do escrivão. Estava ansiosa. Seu coração parecia querer galopar para fora do peito. Naquele cartório em Caetés, estava prestes a receber sua própria certidão de nascimento. O papel significava o início de uma nova vida.

A cada instante, a possibilidade de deixar o sertão e migrar para São Paulo se tornava mais real. Lindu havia sido informada por amigos de que, na cidade grande, sua presença, sua palavra de nada valiam. Era preciso que ela existisse oficialmente. E só um papel poderia comprovar isso. Enquanto a mão do oficial deslizava tingindo o documento de azul, Lindu, registrada como Eurídice Ferreira de Melo, acreditava que nascia para o mundo. Nascia como retirante.

AO DEUS DARÁ

As notícias de retirantes que morriam na estrada não eram segredo. A travessia era longa, dura, incerta. Uma viagem sem garantias, ao Deus dará. As cruzes nas margens do caminho lembravam as vítimas daquelas estradas sem segurança. Pessoas eram transportadas como gado. Caminhões tombavam, derramando sua carga humana. O sol e a chuva castigavam. Os viajantes dormiam ao relento, às vezes embaixo do caminhão, quando a chuva engrossava. A roupa já puída tornava-se trapo. Eram dias, horas, minutos que pareciam intermináveis sobre tábuas de madeira sem encosto, os joelhos roçando o companheiro da frente.

A falta de banheiro tornava tudo mais difícil. A comida era contada. Um punhado de farinha, banana, uma asa de galinha e, para quem tinha sorte, um pedacinho de queijo com rapadura. Crianças de colo dividiam a carroceria do caminhão com velhos, moços, homens e mulheres, doentes ou saudáveis.

Apesar de saber de tudo, Lindu decidiu partir. Foi uma decisão que mudou o destino dela e de seus filhos e ficaria registrada na história. A estrada que os levou para São Paulo foi o primeiro caminho que o anônimo Luiz Inácio percorreu para tornar-se o Lula que o mundo conhece.

MORRER LUTANDO

Do alto do pé de mulungu, Lula olhava para sua casa. Ele tinha 7 anos. De longe, via sua mãe dentro da sala. Ela recolhia os objetos da família. Tirava os retratos pendurados na parede, as imagens de santo de seus altares. Lindu embrulhou suas coisas numa trouxa e levou ao amigo Tozinho da venda. Ofereceu a ele tudo o que tinha em troca de passagens para o próximo pau de arara. Pediu também aos seus filhos mais velhos que vendessem a cabra. Sua casa teve o mesmo destino. Foi entregue para um compadre que, sem dinheiro, pagou apenas a entrada. A pobreza era de todos. Ao saber da notícia, Dorico, irmão de Lindu, decidiu tomar o mesmo rumo. Com sua mulher Laura e dois filhos, iriam juntos para São Paulo.

No dia da partida, Lula não entendia o que agitava tanto sua mãe e seus irmãos. Vavá subiu num pé de mulungu e disse que não iria descer. Não queria correr os riscos da viagem. Lindu o chamou:

— Desce Vavá. Desce filho. As coisas vão melhorar. É melhor morrer tentando que morrer aqui de fome.

Lindu era uma mulher de entregas. Entregou-se a seu marido, aos filhos, entregava-se à vida. Mas não se entregaria à morte. Preferia morrer lutando. Assim, sem olhar para trás, Lula viu sua mãe pegar os filhos, as trouxas e caminhar até a bodega do Tozinho, de onde sairia o pau de arara. Mas o caminhão atrasou dois dias e eles tiveram que esperar. Tozinho os colocou num quarto. Lobo, o cachorro de estimação, latia e uivava do lado de fora. Chamava por Lula e seus irmãos. Intuía a separação definitiva. Lobo morreu de saudade dias depois que a família partiu. Lula nunca mais o esqueceu.

Quando o caminhão finalmente chegou, trazia alguns retirantes de outros sertões. A bodega do Tozinho estava agitada. Parentes dos que iam se abraçavam, choravam um último adeus. No meio da agitação, Lula viu uma coisa mágica: um homem deslizava sobre duas rodas. Ficou paralisado, sorrindo. Lula tinha descoberto a bicicleta. E nem sabia quantas máquinas, invenções, ainda veria.

O caminhão partiu. Instalada no desconforto do pau de arara, a família Silva viu seu pedaço de terra sumir no horizonte queimado pela seca. A poeira que o caminhão levantava fazia desaparecer o mundo que Lula conhecia. De agora em diante, tudo era novo. Nenhuma referência parecia segura diante daquilo que começavam a ver.

A TRAVESSIA ENTRE DOIS MUNDOS

Na sua terra, Lindu e seus filhos viviam integrados à natureza. Acordavam quando o sol acordava, dormiam quando ele dormia. O costume só era quebrado em noites de lua cheia, quando Lula e seus irmãos gostavam de brincar no rastro prateado que o chão refletia. O contato mais direto com o mundo industrial acontecia na bodega do Tozinho. Em algumas noites de quinta-feira, ouviam Luiz Gonzaga pelo rádio de válvulas do amigo. O músico estava longe, mas também perto. Apesar dos chiados, Gonzagão era quase tão concreto quanto os sanfoneiros das festas no sertão.

Sobre o país onde moravam, Lindu e seus filhos sabiam muito pouco, quase nada. O nome do presidente talvez alguém tivesse dito. Não conheciam o mapa brasileiro. Outros países pareciam menos concretos que história de lobisomem. O mundo dos Silva se resumia a sua família, parentes e vizinhos. O lugar mais longe que haviam visitado era Garanhuns, a uma distância de três horas de caminhada. Nunca haviam visto mar, rios, lagos. Conheciam apenas os alimentos do agreste. Não conheciam outras raças humanas.

Para alguns retirantes, São Paulo era a terra prometida do Antigo Testamento, onde todos seriam felizes. Para outros, uma mistura de encantamento e terror. A São Paulo que era para ser luz, a luz no fim do túnel, às vezes se revelava escuridão. Sabiam que a cidade grande tinha engolido homens que nunca mais cuspiu.

Sem notar, Lindu estava repetindo a história de seus parentes europeus. De mãos vazias, deixava para trás sua vida, os amores que nunca mais veria, como sua Mãe Tili, que morreu quatro anos depois.

O pequeno Lula começava a aprender que a vida era imprevisível. Mas não tinha dimensão da grandeza daquele momento, quando cruzava dois mundos. Seguia junto a outros retirantes, a meio caminho entre a miséria e a glória. Eram como lagartas esperando por seu dia de borboleta. O caminhão seguia. Novas paisagens apareciam. Outra vegetação. Outra arquitetura. Lula nunca havia visto sobrados, prédios. Quantos caminhões, meu Deus. Carros... Nunca tinha visto carros. Para aquele mundo novo, Lula e seus companheiros de jornada tinham olhos e a alma virgens.

TREZE DIAS E TREZE NOITES

Em uma manhã de dezembro de 1952, o motorista do pau de arara estacionou seu caminhão numa movimentada rua do bairro do Brás, em São Paulo. Era o ponto final. Foram 13 dias e 13 noites de viagem. Lula e os seus desembarcaram de olhos arregalados. Não imaginavam que existia tanta gente.

Lindu aproximou os filhos de seu corpo para que nenhum deles se perdesse naquele mundão de Deus. Com tio Dorico, procurou um táxi e mostrou para o motorista a carta amassada de Jaime com seu novo endereço.

Pela primeira vez, os Silva entravam em um automóvel. Seus olhos exaustos de novidades viram ainda a recém-inaugurada Via Anchieta. Mais surpreendente foi a barca que tomaram para encontrar Aristides em Vicente de

Carvalho, antiga Itapema, distrito do município de Guaru-
já. Para alguém acostumado a ver pequenas quantidades de
água, deslizar entre navios gigantescos parecia coisa de outro mundo.

Dentro da barca, Lula e seus irmãos, sujos e descabela-
dos, seguravam em suas trouxas com roupas puídas fotos de
família, santos e a imagem de Padre Cícero. Com Sebastiana no
colo, ainda com um ano e pouco, Lindu carregava o maior pa-
trimônio na vida, os filhos que teve com Aristides. No peito,
levava a esperança de viver dias melhores com o homem que
tanto amou. A mãe de Lula acreditava que sua vida recomeça-
ria naquele instante.

Reencontrar Aristides e viver com ele era o que Lindu
mais desejava. Logo, a barca atracaria. E ele estaria ali, de braços abertos. Lindu estava emocionada. Sua filha mais velha,
Marinete, e o mais velho entre os homens, Vavá, entendiam a
importância do momento. Maria Baixinha, Ziza e Lula traziam
no peito apenas a palavra espanto. Sebastiana, a caçula que
Aristides ainda não conhecia, chupava o dedo.

A CHEGADA

Quando desceram da barca, tio Dorico conseguiu informações
sobre Aristides. Ele estava próximo, e alguém foi avisá-lo de que
sua família havia chegado. Aristides empalideceu. Que diabo é
isso? Chamou Jaime, que descansava recostado num toco. Os

Dona Lindu (à esquerda), com parentes, pouco depois de chegar a São Paulo, em 1952

dois saíram rapidamente. Jaime não conseguia disfarçar o medo da reação do pai quando descobrisse que ele era o responsável pela surpresa. Mesmo assim, seu coração dava pulos de alegria.

Em frente a um bar, Lindu e seus filhos esperavam ansiosos. Mas seus sorrisos se dissolveram quando olharam nos olhos de Aristides. Viram neles a cor da raiva. A boca contraída de indignação. Depois de alguns segundos de silêncio, Aristides disse:

— Cadê o Lobo?

— Lobo? — perguntou Lindu.

— O cachorro. Meu cachorro! Cadê? Por que não trouxeram?

PARTE II

Lula, em meados dos anos 60

O NOVO MUNDO

Aristides decidiu que Lindu e seus filhos ficariam na casa em que morava com Mocinha. E ela iria com seus filhos temporariamente para a casa de um compadre, até conseguir outro lugar para instalá-la. E assim Lindu, Lula e seus irmãos passaram a morar numa velha casinha de madeira em Vicente de Carvalho, sem água encanada, poço próximo ou luz elétrica, mas muito além daquilo que imaginavam ter um dia na vida.

Com seu trabalho de estivador, Aristides passou a sustentar suas duas famílias. Para a esposa mais jovem, Mocinha, ele comprava as melhores frutas e peças de carne. Para Lindu, quando havia carne, não era tão boa. Nem as frutas e verduras eram as melhores, mas ninguém sentiu o gosto amargo da fome. Do ponto de vista material, a vida tinha melhorado muito. Logo as crianças também passaram a trabalhar. Jaime e Zé Cuia eram funcionários num pequeno estaleiro; Vavá virou garçom num bar de uma zona de prostituição; Marinete se tornou empregada doméstica; Ziza e Lula vendiam amendoim, tapioca, laranja. Mas, por ter vergonha de gritar "laranja, laranja", Lula passou a trabalhar como engraxate. Maria ajudava a mãe nas lidas da casa e cuidava de Tiana, ainda muito pequena.

ADAPTAÇÕES

Lula e sua família logo perceberam que em Santos as pessoas falavam de um jeito diferente, difícil de entender. Tudo era original. Parecia que a vida tinha sido reinventada. No dia em que Jaime foi descer do bonde, não soube calcular a velocidade com que seu corpo tocaria o chão e quebrou a perna. Antes, havia saído correndo de um campo de futebol, quando ouviu uma voz que parecia não ter dono. Quem está falando? Um fantasma? Mais tarde descobriu: haviam inventado as caixas de som.

Alertada pelos vizinhos, seus novos amigos, Lindu descobriu que era necessário que até mesmo sua Tiana tivesse registro em cartório. Com a pequena no colo, a mãe chegou numa repartição repleta de cartazes com dizeres incompreensíveis e pediu um documento para a filha. Lindu se aproximou da tabeliã, perguntando:

— Como eu faço para conseguir o papel da criança?

— O registro de nascimento?

— É.

— Neste balcão. Como ela chama?

— Tiana. É a minha Sebastiana. Sebastiana da Silva.

— Sebastiana? Não tem um outro nome pra colocar, não?

— ... é que esse nome, eu...

— Olha, com esse nome eu não registro não. Tudo quanto é nortista que vem aqui quer botar o nome de Sebastião ou Sebastiana. Povo sem criatividade!

— Mas é um nome bonito, de São Sebastião...

— Pode ser bonito lá pras suas bandas. Nesta terra tudo é muito mais fino, sabe? A senhora tinha é que colocar na menina um nome de gente classificada.

— Classificada?

— É. De classe. Vou botar aqui o nome de Ruth. Sebastiana não vai dar. Pronto, a menina agora se chama Ruth.

— Ruth?

— É. Ruth. Amanhã a certidão está pronta. Volte aqui e me procure.

— E como a senhora chama?

— Ruth.

Lindu concordou. Não estava em condições de marcar posição num território de códigos tão novos e poderosos. Mas por toda a vida continuou chamando Ruth de Tiana.

Lindu sabia que Tiana e Ruth eram a mesma pessoa. Eram e não eram. Tiana era filha legítima de Lindu e Aristides, irmã de Lula, Maria Baixinha, Frei Chico, Vavá, Marinete, Jaime e Zé Cuia. Tiana era neta de Mãe Tili e seu José, de seu João Grande e dona Guilhermina. Tiana gostava de chupar rapadura com seus dentinhos ainda em crescimento. Ruth era o futuro.

A DOR DO ÁLCOOL

O Aristides que Lindu encontrou em Santos não era o mesmo homem que partiu de sua casa em Caetés naquela inesquecível manhã de 1945. Lindu, que tantas vezes tinha levantado do chão sua mãe dramaticamente alcoolizada, agora enfrentava a dura realidade de ver seu marido se tornar também um dependente do álcool.

A vida no Sul do país era um fardo pesado demais para os braços fortes do estivador Aristides, um fardo que só o álcool o ajudava a sustentar. Em sua terra natal, era um homem respeitado. Todos conheciam sua família, sua história. Em São Paulo, tornou-se um ninguém. Ainda que tivesse a sorte de um emprego, o analfabeto Aristides sabia-se descartável. Seu passado tinha ficado para trás, assim como sua identidade. Lá, o mundo girava sem Aristides. Sua honra e seu orgulho dissolviam-se em sua pobreza. O álcool ajudava a anestesiar suas dores.

Mas a mesma bebida que anestesiava Aristides provocava sofrimentos em toda a sua família. Em Vicente de Carvalho o pai de Lula se tornou violento, autoritário, cruel. Proibiu os filhos de brincar; todos tinham apenas que trabalhar. Jogar uma pelada, conversar com os amigos na rua, nada era permitido. Aristides "castrava" seus filhos. Não era por acaso que Jaime reclamava para a mãe: "O pai nos trata como meninas-moças."

Trancados em casa depois do horário de trabalho, os filhos só podiam sair no final de semana se fosse para ajudar o pai a cortar lenha no mangue. Era uma tarefa muito penosa. Descalças, as crianças furavam os pés em incontáveis gravetos. Também eram obrigadas a caçar caranguejo, enquanto se tornavam almoço de muriçocas famintas. Como as caçadas de Aristides continuavam em Santos, com sua pontaria ainda afiada acertando veados, porcos-do-mato, pacas e capivaras, Lula e seus irmãos também tinham que acompanhá-lo. Dormiam em casebres abandonados no meio do mato, que dividiam com aranhas, cobras e outros animais.

LEGADO

O comportamento do novo Aristides era reprovável aos olhos de Lindu. Mãe que nunca relou a mão nas crianças, que não dizia palavras cortantes, mulher avessa à violência, tinha agora que testemunhar o sofrimento de seus filhos. Aristides tornava-se a cada dia mais cruel e ela sentia-se incapaz de contê-lo. Luiz Inácio era um engraxate de 8 anos, quando registrou cenas que ficaram para sempre na memória.

Lula via seu pai comer pão doce no café da manhã sem nunca oferecer uma migalha sequer aos filhos. Um dia, quando Tiana, então com 3 anos, insistiu em pedir ao pai um pedacinho de pão, ele fingiu não ouvir. Aristides era surdo para os desejos de seus filhos, mas não para os de seus cães. Quanto mais a criança pedia, mais generosas eram as lascas de pão que seus cachorros recebiam.

Numa tarde quente do verão santista, Lula e Frei Chico encontraram Aristides e os filhos que teve com Mocinha juntos, chupando picolé. Os dois meninos não conheciam o doce e, maravilhados com a novidade, pediram ao pai que também os deixasse experimentar. Era apenas um sorvete caseiro, vendido por poucos centavos. Nada que pesasse demais em seu bolso. Mas Aristides falou, de maneira definitiva:

— Não! Vocês não sabem chupar! Vocês não!

A negativa levou Lula e Frei Chico a pensarem sobre o conceito de justiça. Por que seus meios-irmãos podiam ter o que desejavam e eles não? Seu pai negava tudo o que pudesse ampliar seus horizontes, ou significar qualquer forma de prazer. Dentro desta lógica, proibiu terminantemente que fossem para a escola. Mas negando a possibilidade de estudar, incutia neles a sede pelo conhecimento; negando comida, alimentava os filhos com algo vital. Ele os nutria de outra forma. Foi assim que, naqueles tempos de convivência, Aristides deixou aos filhos o melhor legado que, em sua vida de misérias, poderia deixar; sua mais valiosa herança: os meninos não ganhavam sorvetes, mas lentes poderosas para enxergar bem mais além.

SEM ALARDE

Educada para obedecer ao marido, Lindu engoliu seu horror e pediu a Deus forças para aguentar as crueldades de Aristides. Nessa época ele dividia-se diariamente entre as duas esposas. Na casa de Lindu, muitas vezes passava de madrugada, perto das quatro da manhã. Sem nenhum tipo de conflito ético por ter duas mulheres, Aristides exigia de Lindu aquilo que considerava ser seu de direito, e assim a engravidou novamente.

Embora sua barriga crescesse a cada dia, Lindu não comentava sobre a gravidez com seus filhos, nem com a mais velha, sua confidente Marinete. Para ela, era um assunto tão íntimo que não devia ser dividido com ninguém. Nem Lula, nem seus irmãos faziam ideia de que um novo membro da família estava por vir.

No dia em que as contrações vieram com força, Lindu avisou sua vizinha, dona Juscelina, que chamou uma parteira amiga. Discretamente, Lindu deu à luz uma criança. Surpresas, ela e a parteira perceberam que havia mais. Chegava ao mundo mais um bebê, tão miudinho quanto o primeiro. Assim, sem alarde, Lindu concebeu, via parto normal, dois gêmeos que nasceram prematuros.

No momento do nascimento, sua pressão subiu. Lindu tentou reagir, mas, assim que deu à luz pela segunda vez, desmaiou. A parteira chamou os vizinhos, que levaram o corpo inconsciente da mãe ao hospital mais próximo. Os gêmeos foram impedidos de acompanhá-la: o hospital não aceitava recém-nascidos. Em casa, ficaram aos cuidados da inexperiente Marinete. Dona Juscelina ajudou no que pôde. Levantou doações de roupas usadas, fraldas, mamadeira e mesmo leite de vaca para alimentar os prematuros.

Lindu ficou hospitalizada em estado grave por algumas semanas. Quando estava internada, sentia-se fora de seu corpo. Numa noite percebeu o médico ao seu lado, mas o via de outro ponto de vista, como se ela mesma estivesse longe. Ouviu então a voz do homem comentar com a enfermeira:

— Se essa última injeção não resolver, ela morre.

Lindu sabia que tinha filhos para criar e que agora, mais ainda, os gêmeos a esperavam.

PROMESSA

Os gêmeos prematuros de Lindu precisavam de muito cuidado. O amor de seus irmãos, o carinho de Marinete e Maria não eram suficientes. No meio de tanta pobreza, logo os dois começaram a ficar cada vez mais enfraquecidos. As irmãs fizeram tudo o que eram capazes para manter a vida daqueles corpinhos, a promessa de futuro que enxergavam naqueles bebês. Mas Aristides não via promessas, não tinha olhos para isso. E nada fez. Os dois, um menino e uma menina, não resistiram. Morreram em casa, poucos dias depois de nascer.

Ao voltar do hospital, Lindu soube da perda dos gêmeos. E gritou um grito calado, de quem se acostumou a aceitar as dores da vida. É verdade que sua submissão ao marido, naquela época, já não era tão completa: ela tinha decidido que os seus filhos frequentariam a escola escondidos, apesar da proibição do pai. Mas a perda de seus bebês foi um golpe duro demais para suportar. Silenciosamente ela sentia que chegava ao limite de suas forças.

GRITO DE LIBERDADE

Num fim de tarde, Aristides chegou do trabalho embalado por doses de cachaça. Na entrada de seu casebre, encontrou Frei Chico. A cena seria comum, não fosse o fato de que, dessa vez, Aristides viu o filho com uniforme escolar. Seus olhares se cruzaram. O menino entendeu o que os olhos do pai queriam dizer e o medo de ser punido por ter ido à escola o fez urinar na calça. Ele correu, mas foi alcançado por mangueiradas violentas. Lindu tentou fazer o marido parar, mas ele não via motivos para respeitá-la. Ainda cambaleante, Aristides começou a perseguir Lula. Lindu colocou-se na frente do caçula como uma espécie de escudo, e sentiu pela primeira vez em seu corpo a raiva de Aristides.

A mulher que acreditou por toda a vida que devia servir ao seu marido sentiu que, naquele momento, tudo deveria mudar. Tinha ultrapassado seus limites de doçura e servidão. Percebeu que devia deixar de lado a obediência e tomar as rédeas do seu destino. A filha de Mãe Tili nascia mais uma vez. Seus olhos ergueram-se do chão e encararam os de Aristides. Sua voz adquiriu a potência que faltava nos últimos anos.

— Nunca mais você rela em mim! Tô indo embora! Embora para sempre!

— Mulher minha, se sair, eu mato!

— Então vai ter que me matar.

UMA LATA VAZIA

Naquela madrugada, logo que o sol nasceu e Aristides partiu para trabalhar, Lindu foi até a cozinha. Lula viu sua mãe analfabeta, sem profissão, sem qualquer dinheiro guardado, recolher suas coisas: uma colher de pau e uma lata vazia de leite

Mococa com a imagem de uma vaquinha pintada, que usava para guardar mantimentos, além de algumas roupas velhas. Sem olhar para trás, sem lágrimas nos olhos, sem uma ponta de dúvida, ela partiu com seus filhos. Enfim, partia mais uma vez. E nesse momento seus sonhos já não eram os mesmos que tinha nas horas que passou sobre um pau de arara. Ela sabia que sua felicidade não se baseava mais no amor de um homem; já tinha aprendido a amar a si própria. Além do mais, desde sempre soube que os filhos eram a sua maior alegria, aquilo que, afinal, fazia a vida valer a pena.

A lata vazia de leite Mococa estava cheia de esperança.

O GOSTO

Lindu e seus filhos mudaram para um casebre de madeira meio apodrecida perto do mar. A casa era tão antiga e malcuidada que um dia a cozinha desmoronou diante de toda a família. Acostumada a viver a dureza do sertão, Lindu não se desesperou. E decidiu que ganharia dinheiro com aquilo que sabia fazer: cataria grãos de café do chão no cais de Santos. Acocorada, por um pagamento mínimo, recolheria os grãos que caíam das sacas de café que estivadores como Aristides carregavam.

A mãe de Lula também começou a lavar roupa para fora, a preparar tapioca e torrar amendoim para seus filhos venderem. A cesta básica que Aristides levava para a família virou só uma lembrança. O fantasma da fome começou a atormentá-la mais uma vez. Mas não era só este temor que a amedrontava. O próprio Aristides, assim que descobriu onde morava sua mulher, passou a rondar a casa, a fazer ameaças, gritar, uivar e, ao final, implorar pela volta de Lindu. Mas ela já tinha sentido na boca o gosto da liberdade. E disse não.

SORTE MUDANDO DESTINOS

Lindu e seus filhos já tinham experimentado na própria carne o ditado popular que diz que o mundo dá muitas voltas. Mas o jovem Vavá não imaginava que naqueles dias difíceis seu mundo daria um giro tão grande. Numa manhã de 1955, quando trabalhava como carregador no Mercado Municipal de Santos, encontrou, entre caixas vazias de madeira, um pacote de jornal que guardava uma grande quantia de dinheiro. Eram 5.885 cruzeiros, quase 35 salários mínimos da época. Vavá esperou que o dono aparecesse, que alguém procurasse aquela enormidade de dinheiro. Os dias se passaram, e, para a alegria do garoto, nenhuma pergunta foi feita.

Lindu recebeu cada centavo daquele dinheiro de origem desconhecida, mas ela sabia muito bem qual seria o seu fim. Os aluguéis atrasados foram pagos, os pés descalços dos filhos ganharam sapatos. Lindu comprou novas mudas de roupa para todos. Nessa fase, Lula tinha apenas uma calça, que usava para ir à escola. Nos finais de semana, fossem quentes ou frios, vestia seu único calção enquanto a outra peça era lavada. Pelo menos temporariamente aquele dinheiro os tirava da miséria.

Aquela sorte inesperada fez muito mais pela família. Permitiu a compra de passagens para São Paulo. Agora Lindu estava decidida a tentar a vida lá. Amigos tinham dito que seus filhos teriam mais possibilidades de emprego e estudo na capital paulista. A mãe de Lula passou a acreditar que o destino de todos mudaria para melhor, mais uma vez. Ela tinha fé. E pedia aos santos que ajeitassem as coisas com suas mãos invisíveis.

A PROFESSORA

Frei Chico, Maria Baixinha e Lula adoravam estudar. Uniformizados, não perdiam um dia de aula no Grupo Escolar Marcílio Dias, em Vicente de Carvalho. Apesar das proibições do pai, e de terem entrado na escola sem conhecer o alfabeto, sem saber escrever seus próprios nomes, os filhos de Lindu se destacavam nas notas. Os três conquistaram os primeiros lugares de suas classes, com direito a louvor, distinção e um prêmio. O de Frei Chico foi o livro *No reino de Liliput*, e o de Maria, um estojo de lápis de cor. Lula também tirou o primeiro lugar, mas os prêmios não foram suficientes para todos e ele recebeu apenas a promessa de um presente que nunca chegou.

Quando soube que o engraxate Luiz Inácio iria tentar a vida com sua mãe em São Paulo, sua professora, dona Terezinha, tomou uma decisão. Ela acreditava que podia mudar o destino do menino. Acostumada a dar aulas para centenas de crianças, dona Terezinha via em Lula alguma coisa especial: sua inteligência e memória não eram comuns. Mas ela não tinha dúvidas do triste destino que aguardava seu aluno. Filho de pais analfabetos, miserável, ele era mais um daqueles garotos que viviam soltos, sem rumo, como barquinhos de papel na correnteza. E agora, ao tentar a vida na cidade grande, Lula se perderia na marginalidade. Apesar de ter seus próprios filhos para cuidar, dona Terezinha não queria deixar que isso acontecesse com aquele garoto tão cheio de potencial. Com o peito tomado de amor materno, a professora caminhou até a casa de Lula e bateu palmas. Lindu apareceu:

— A senhora é a mãe do Luiz Inácio?

— Sou, sim senhora. Ele aprontou alguma?

— Não, pelo contrário. Sou professora dele e soube que vocês vão tentar a vida...

— ... em São Paulo. Ele disse, foi?

— Por isso eu vim aqui. Eu vim aqui porque gostaria de ficar com seu filho.

— A senhora me perdoa, mas não estou entendendo não...

— Eu gostaria de adotar seu filho de papel passado, dar um futuro melhor para ele, cuidar de...

— ... A senhora, dona professora, me perdoa. A senhora deve de saber um mundão de coisas que eu nem consigo imaginar. Mas tem uma coisa que eu sei: filho não é cria que a gente dê.

— Eu queria apenas que seu filho fosse alguém na vida.

— Mas ele já é alguém, é o Luiz.

— A senhora vai impedir que seu filho tenha futuro?

SÃO PAULO, CAPITAL

Instalada temporariamente na casa de um compadre nordestino, nos fundos de um bar, Lindu e seus filhos logo encontraram emprego e uma nova casa para morar. Em frente ao Instituto Brasileiro de Café, o IBC, na Vila Carioca, um bairro periférico, alugaram uma casinha de alvenaria, sem água encanada. Alegres por prosperarem tão rapidamente, mal perceberam que São Paulo era cheia de armadilhas. A cidade acolhia, mas acolhia em suas margens, onde a vida se revelava muito mais difícil e perigosa do que em Santos.

Logo, quando Lula e seus irmãos estavam trazendo para casa o dinheiro de seu trabalho transformado em alimentos, roupas, móveis, veio a primeira enchente. Muitas outras se seguiram. Havia vezes em que, mesmo sob um céu de brigadeiro, a água chegava de outros bairros mais altos em ondas silenciosas. Não tinha como prever. Seus poucos objetos estavam sempre, dia e noite, por um triz.

Uma noite Frei Chico, ao esticar seu braço para fora da cama, sentiu sua mão tocar em algo gelado. Acordou num pulo, vendo a casa inteira cheia de água que vinha sabe lá Deus de onde. Nessas ocasiões, o lar limpo e cheiroso de Lindu se transformava em um lugar infernal. A água da chuva, invadindo bueiros, trazia ratos mortos, todos os tipos de lixo, fezes humanas. A Vila Carioca se tornava um enorme lamaçal.

Lindu, acostumada a reconstruir a vida, ensinava seus filhos a arregaçarem as mangas e salvar o que restava. Era preciso tirar a lama dos colchões, esfregar paredes, ajudar vizinhos e, por fim, sentir satisfação pela tarefa bem realizada. Mesmo nas situações mais difíceis, Lula via a mãe sorrir, dizendo:

— As coisas vão melhorar, filho. As coisas vão melhorar.

Luiz Inácio aprendia com ela que era estupidez chorar o leite derramado; o que valia era conhecer e dominar a arte de tirar leite de pedra.

O OUTRO

Se havia uma espécie de código de ética entre retirantes, ele determinava que os que chegavam antes acolhiam os que vinham depois. Não importava em que condições seriam recebidos. De modo geral, as acomodações eram precárias. Dormiam diretamente no chão, sem colchões para amaciar um pouco a dureza da viagem e a aspereza dos dias que viriam. Os anfitriões eram quase tão pobres quanto suas visitas. Mas um teto já bastava.

Em sua acanhada casinha na periferia de São Paulo, a mãe de Lula percebeu feliz que já havia mudado de lado. Não pedia mais acolhimento; era ela quem acolhia. Muitos contraparentes experimentados em pau de arara chegaram e partiram de sua casa. Já adaptada à cidade grande, era Lindu quem fazia o papel de intérprete do mundo novo. Um dia, ouviu de sua irmã Carmelita, que tinha chegado pouco tempo depois de Lindu a São Paulo, a história de outra retirante. A moça estava sozinha num quarto, mas Carmelita a ouvia falar insistentemente com alguém que não respondia:

— A senhora donde vem? Donde a senhora vem? Eu vim de Pernambuco, sabe? Cheguei ontem. Tô aqui com mais 12. E a senhora? De lá também? É parenta da Lindu?

Carmelita foi até o quarto, tentando entender o que se passava. Encontrou a retirante observando o espelho na parede, como se olhasse através de uma janela. A mulher nunca tinha visto um espelho. Olhando o próprio rosto, via apenas uma imagem humana, não sendo capaz de se reconhecer. Seu rosto era para ela tão desconhecido quanto aquele novo mundo.

DELÍCIAS DE ENGRAXATE

Trabalhando pelas ruas de São Paulo, Lula percebeu que a vida de engraxate tinha suas delícias particulares. Quando sobrava algum dinheirinho no bolso, ia ao bar, inflava o peito e pedia orgulhoso o que considerava ser o manjar dos deuses: meia bengala de pão recheada com 100 gramas de mortadela. Para acompanhar, Tubaína gelada e borbulhante, o refrigerante da moda. Quando conseguia um paletó emprestado com amigos, garantia seu lugar numa sala de cinema. Na década de 50, o ingresso tinha preços populares, mas o paletó era indispensável para alguém do sexo masculino que quisesse assistir a um filme.

No Cine Anchieta ou no Cine Samarone, ambos localizados na rua Silva Bueno, o engraxate era assíduo. Na primeira vez que entrou num cinema, Lula percebeu que ali tudo era encantamento. Deparou-se com personagens gigantescos, donos de vozeirões e capazes de ações impossíveis. Passeavam por paisagens como nunca havia visto. Descobria novamente, como em sua viagem de pau de arara, que o mundo era grande e vasto. No cinema, as aventuras eram tão reais quanto num sonho bem sonhado. Lula nunca mais esqueceu o dia em que assistiu ao seu primeiro filme, quando surgiu na tela o galã Burt Lancaster. Potente e iluminado, ele empunhava sua infalível espada: era O Pirata Sangrento. E como todos os garotos que o rodeavam naquela sala escura, Lula sonhou um dia ser também um personagem de cinema.

TELEFONISTA MUDO

Com o passar do tempo, a vida paulistana levou até Lula outras possibilidades profissionais, além do trabalho de engraxate. Como sua mãe Lindu fazia amigos com facilidade, logo os donos da tinturaria vizinha passaram a frequentar sua casa. Ao caçula de Lindu ofereceram um emprego.

Seu Antônio, dono da tinturaria, passou a ter Lula como um filho e desejou ensinar-lhe japonês. Mas o filho de Lindu considerava a língua de seu patrão difícil demais e desistiu antes mesmo de começar. Por outro lado, seu Antônio considerou que seria difícil demais para Lula fazer algo além do que colocar a roupa de seus clientes na máquina e, depois, entregá-las no endereço certo. Lavagem à mão e a seco, como passar e engomar, ele deixava a cargo de sua família. Eram processos delicados demais para um garoto muito comportado, mas que dava suas pisadas na bola. No dia em que o atarracado Lula foi levar um terno de linho lavado e passado para um operário da Ford, não conseguiu erguê-lo o suficiente para evitar que o molhasse numa vala cheia de água suja. Desesperado por ter encharcado a peça de roupa e emudecido de medo, decidiu simplesmente tocar a campainha e entregar a encomenda naquele estado. Quando já dobrava a esquina, foi chamado de volta aos berros pela esposa do operário. Durante anos, ao encontrar com Lula, o empregado da Ford lembrava o episódio.

Mas o primeiro emprego formal de Lula foi nos Armazéns Gerais Columbia, uma fábrica de persianas, onde trabalhou como telefonista. Tímido, chegando a ser quase mudo, a cada vez que a campainha tocava, Lula suava, nervoso, agitado. Seu estado emocional piorava tudo: não entendia os recados que eram passados, não os anotava nem transmitia direito. Dentro de Lula as palavras pareciam resistir, agarravam-se em suas cordas vocais, língua, dentes: tinham medo dos ouvidos alheios. Como um telefonista mudo é tudo de que ninguém precisa, os Armazéns Gerais Columbia logo demitiram Lula. Mas sua demissão já era esperada. Ele sabia, havia anos, que falar com as pessoas não era seu forte. Lembrava do horror que sentia quando Frei Chico o obrigava a gritar "laranja" quando vendiam a fruta no porto de Santos. Mesmo levando alguns petelecos do irmão, Lula permanecia calado, tomado de vergonha, incapaz de gritar. Ele sabia que, no futuro, teria que escolher uma profissão silenciosa. Falar com as pessoas, definitivamente, não era um dom que ele tinha.

Lula (o terceiro agachado, da esquerda para a direita) com os outros jogadores do Náutico Futebol Clube, em Santos, nos anos 50

O MURO

Aos finais de semana, a lagoa conhecida como Buraco da Onça, em São Paulo, ficava cheia de garotos. Lula era um deles. Ele nadava lá ou na lagoa de Três Torres e não ligava para o fato de muitas crianças terem morrido presas no lodo e no lixo do fundo dos dois lugares. Depois de uma guerra de mamona ou de pedra, de um campeonato de estilingue, de pular corda, jogar bafo, bolinha de gude ou peão, de empinar pipa, pegar balão em telhados alheios, Lula era feliz e sentia o mundo a seus pés. Nas partidas de futebol, como jogador do Náutico Futebol Clube, o tímido Lula se soltava. Jogava bem, sendo respeitado pelos outros jogadores.

Lindu ficava contente quando via a alegria dos filhos que cresciam fortes, longe da seca e da dureza do sertão. Mas ela estava certa de que logo a natureza faria o seu chamado. Lula cresceria, casaria, teria filhos, uma família para sustentar. As brincadeiras da adolescência ficariam para trás. Lindu pensava no futuro. Sua intuição dizia que Lula seria capaz de ir muito mais além do que poderia imaginar. Ela também sabia, porém, que retirantes eram bem-vindos na cidade grande, desde que se ocupassem das tarefas pesadas, degradantes e mal remuneradas. O que a cidade grande oferecia de melhor não era para eles. Havia uma espécie de muro invisível em torno dos retirantes, impedindo a tão sonhada ascensão social. O muro, Lindu sabia, era uma realidade. Mas ela tinha certeza de que em todo muro há uma porta.

Lula (o segundo da esquerda para a direita) e outros alunos
do curso do Senai

A PORTA

No bairro da Vila Carioca, onde Lula morava, viviam também
operários especializados da indústria automobilística, de fábricas como Ford, Vemag, Willys, Volkswagen, Mercedes-Benz e
Simca. Eles causavam admiração quando passavam uniformizados com seus macacões. Eram a elite do operariado brasileiro.
Não comiam em marmitas, tinham seu próprio refeitório e direitos trabalhistas que poucos operários conheciam. Ganhavam
cestas de Natal. As sacolas de compras que suas mulheres levavam da feira para casa eram sempre as melhores. Por tudo isso,

Lula durante a formatura no Senai, usando gravata pela primeira vez

Lula passou a sonhar com seu próprio macacão azul. E quando soube que o Senai* abriria vagas para o curso profissionalizante de torneiro mecânico, contou correndo para sua mãe.

Lindu pegou o filho pela mão. Caminharam quilômetros pela Via Anchieta até a sede do Senai, em busca de informações. O longo trajeto foi feito a pé porque o dinheiro não dava para a condução. No dia em que souberam que haveria o teste para seleção de novos candidatos, Lindu caminhou até lá no-

---

* Senai: Serviço Nacional de Aprendizagem Industrial.

vamente com seu Luiz Inácio. Seu sonho era ver o filho se tornar um operário qualificado, desfrutando uma vida digna.

Em 1960, aos 15 anos, Lula se tornou aluno do curso de profissionalização em torneiro mecânico do Senai. Pouco tempo depois, como estagiário da Fábrica de Parafusos Marte, recebeu sua primeira remuneração: meio salário mínimo. Ele entregou cada centavo à mãe. Em seu primeiro dia na fábrica, Lula enfiou a mão num tonel de óleo e com ele sujou todo o seu macacão. Parecia ter tido um dia e tanto de trabalho. Ao ver seu filho voltar para casa daquele jeito, Lindu sorriu seu mais profundo sorriso de satisfação.

Três anos mais tarde, quando Lula se diplomou, sua mãe viveu um momento de glória, um prazer do tamanho do rio São Francisco. *Luuuiiiiiizzz*, como o chamava brincando, só lhe dava alegria e orgulho. Seu Luiz Inácio, o único filho formado, agora era o cientista, o intelectual da família. O futuro o esperava. Ele havia encontrado e aberto uma porta no muro.

REGRAS DO JOGO

Na Fábrica de Parafusos Marte, Lula fez estágio e amigos. Meses depois, foi para a Fábrica Independência trabalhar no turno da noite. Lá, logo que o patrão saía, os operários cochilavam, acordando pouco antes de ele voltar.

Numa madrugada em que Lula operava uma máquina desgastada, enquanto os colegas dormiam, um parafuso quebrou. O braço da prensa caiu com todo o seu peso em cima de uma mão de Lula. A dor foi brutal. Sua roupa se encharcou de sangue em poucos segundos. Parte do dedo mínimo da mão esquerda já não estava mais lá. Agoniadas horas de espera separaram Lula do hospital. E quando um médico experiente em operários acidentados olhou para Lula, decidiu arrancar fora de uma vez todo o dedo mínimo, desde a raiz. Decepá-lo era mais prático. Naquela época o Brasil tinha o título de campeão mundial de acidentes de trabalho. Entre os metalúrgicos, ter um ou mais dedos decepados era coisa comum. Tratava-se das regras do jogo, um imposto a ser pago. A industrialização cobrava seu pedaço de carne.

Em função do acidente, a fábrica deu a Lula uma indenização de 350 mil cruzeiros, que ele gastou na compra de alguns móveis para presentear a mãe e de um terreninho na periferia, que jamais seria usado. Lula tinha visto sua família perder com seca, perder com enchente. Havia tantas perdas na vida. O dedo era apenas uma delas.

MÃE LINDU

Lindu havia se libertado de Aristides há tanto tempo, que quase nem se lembrava mais de como era a vida com ele, dos sonhos românticos do início e de seu pesadelo final. Mas ela sabia que, quando Aristides se tornou alcoólatra, semeou crueldades nas duas famílias, não apenas na sua. Sabia também que, ao contrário dela própria, sua prima nunca teve forças para enfrentar o marido. Por isso, Aristides foi mais cruel com Mocinha, que acabou aceitando os hematomas que o estivador desenhava em seu corpo, suas tatuagens de dor. Enfraquecida, fechava os olhos para os filhos queimados com cigarro, as feridas abertas com correia de motor. Até chegar ao limite, quando nem mesmo Aristides a queria mais.

Era um inverno rigoroso quando Lindu ouviu o irmão de Aristides bater em sua porta. Ao contrário de seu marido, Zé Grande era dócil, de boa convivência. Receber seu cunhado em casa não a surpreendia. Mas nunca imaginou que ele lhe pediria que ajudasse Mocinha. Suprema ironia. Mocinha, que fugiu do sertão levando embora Aristides, fugia agora do próprio. E pedia socorro. Será que depois de tudo ela imaginava que Lindu estaria ali, de braços abertos, pronta para ajudar? Mocinha imaginava isso?

Sua imaginação havia acertado: Lindu estava sim, de braços abertos. Para Lindu, a vingança não era um prato que se comia frio, nem quente. A vingança não fazia parte da sua dieta. Preferia se alimentar de outros sentimentos. Por isso, não se constrangeu em sair pela rua e apelar para os vizinhos, em bater de porta em porta pedindo doações de roupas, sapatos, cobertores para os filhos de sua prima, que a chamavam de "Mãe Lindu". Mergulhada na mais profunda pobreza, com os filhos descalços, malvestidos, tremendo de frio, Mocinha foi bem recebida por Lindu. Respeitada. Acolhida. O homem que um dia as separou agora as unia. As duas conheciam o verso e o reverso do amor.

VIZINHANÇA MUDANDO DESTINOS

Em 1962, seu João, dona Ermínia e seus quatro filhos adolescentes, Toninho, Zezinho, Jacinto — apelidado de Lambari — e Lourdes, se mudaram para um sobradinho geminado. Eles se sentiam solitários. Pobres, pulavam de bairro para bairro em busca de trabalho. E de tanto mudar, nunca tinham tempo para fazer amizades que durassem. Naquelas novas redondezas, não conheciam ninguém. A casa quase não possuía mobílias. Só tinha algumas cadeiras velhas, um fogão antigo e um rádio de pilha que insistiam em ouvir dia e noite para espantar a tristeza e a solidão.

A filha Lourdes, adolescente que cuidava da casa e do pai e da mãe doentes desde que tinha 10 anos, adorava encerar o chão. Por isso, o programa da família era olhar os taquinhos de madeira brilharem enquanto ouvia pelo rádio programas populares.

Semanas depois de se instalarem no bairro, os filhos de dona Ermínia viram pela janela sem cortinas seus novos vizinhos:

— Mãe, tem uma paraibada danada chegando aí, ó! Olha, tão ocupando a casa do lado! — disse Lambari.

Pelo modo de falar e agir, Lambari imaginou que seus novos vizinhos fossem paraibanos. Soube mais tarde que vieram de Pernambuco, o que pouco importava: eram nordestinos. Paraibanos, baianos, alagoanos, eram todos expulsos da terra. Gente que conhecia o lado mais duro da miséria. Apesar de a família de dona Ermínia também ser retirante, não vinha do

Nordeste. E sim da cidade de Ipatinga, Minas Gerais. Seu jeito de falar, suas comidas, seus costumes eram mais aceitos na cidade grande do que os dos nordestinos. Mas no fundo os não nordestinos sabiam que todos eram iguais na pobreza.

Numa manhã de domingo, quando saía para a padaria, Lambari encontrou com um de seus novos vizinhos. Era Lula, montado em uma velha bicicleta, encostado no muro. Aquele foi o início da mais longa e profunda amizade que os dois tiveram. Uma amizade que mudou suas vidas. O solitário Lambari deixou de ser solitário.

Frei Chico (de pé, à direita), Lula e Lambari (agachados) com amigos: o caçula de dona Lindu ficou com vergonha por ser o único sem sapatos

CATANDO PONTAS DE CIGARRO

Comprando maços de cigarro em sociedade, Lula e Lambari não precisavam mais varrer com os olhos as calçadas para catar do chão pontas jogadas fora. Já tinham seus próprios cigarros. Nos dias mais difíceis, os dois dividiam também doses de cachaça. Ou uma garrafa de cerveja quando sobrava algum dinheirinho. De tanto dividir as coisas, chegaram a aproveitar uma liquidação de coletes e compraram peças idênticas para usar juntos por toda a parte, como uma dupla caipira.

Lula nunca se esqueceu do dia em que, com Lambari, Frei Chico e alguns outros amigos, foram tirar retrato. O fotógrafo emprestou cigarros para eles fazerem pose. Todos conseguiram sapatos emprestados, menos Lula. Envergonhado, mal conseguia fazer cara de galã, pensando no chinelo de dedo que denunciava sua dureza. E lembrava da primeira foto de sua vida, quando tinha 3 anos e um fotógrafo lhe emprestou um sapato maior do que seu pé. Só foi usar sapato depois dos 7 anos, quando chegou a Vicente de Carvalho e começou a trabalhar.

A vida de adolescente ao lado de Lambari era muito divertida. Os amigos não perdiam um bailinho nas redondezas, embalados por Ray Conniff, Roberto Carlos e os boleros quentes de Carlos Alberto e Benevindo Granda. Eles tinham entre 17 e 18 anos. Lambari se considerava um verdadeiro bailarino e tentava ensinar ao desengonçado Lula alguns passos. Às vezes, o amigo Olavo saía junto com eles. Tímido, Lula era considerado o bobo da turma. E enquanto Lambari sabia tudo sobre mulheres, Lula era um principiante.

A ÚNICA ESTRELA NO CÉU

Lula acordou de manhã lembrando que o bailinho daquele sábado seria na casa do amigo-irmão Lambari. Os filhos de dona Ermínia já tinham conseguido arranjar emprego e comprar sua própria eletrola. E Lourdes havia encerado o chão com Parquetina.

Quando o caçula de Lindu chegou à festa, percebeu o quanto Lourdes estava linda com sua roupa de domingo, sua pele morena e seus cabelos pretos escorrendo até quase a cintura. Talvez porque seu destino já estivesse traçado, ou talvez por causa de seus hormônios de adolescente, Lula olhou para Lourdes como nunca tinha olhado. Foi como mágica. E não eram apenas coelhos que saíam da cartola, mas toda a arca de Noé. Incrível. Pela primeira vez, Lula viu em Lourdes uma mulher-feita. Mais que isso, a mais linda, a mais sensual, a mais desejável. Naquele instante todas as luzes das outras mulheres se apagaram. Radiante, Lourdes era estrela única no céu.

Lula sentiu que não estava em seu estado normal. Precisava tomar alguma coisa rapidamente. Foram três doses de conhaque seguidas. Tremendo, suando frio e gaguejando um pouco, ele olhou nos olhos de Lourdes.

— Quer dançar?

Lourdes parou, surpresa. Até que enfim, pensou. Finalmente Lula tinha percebido o óbvio: irmãs de amigos também são mulheres. Mas nunca imaginou que fosse ver através dos olhos de Lula um oceano de desejo. Navegar por aquelas águas parecia perigoso. Entre assustada e feliz, Lourdes sorriu e disse sim com a cabeça. Dançando de rosto colado e mãos molhadas, Lula e Lourdes deslizaram pela sala do sobradinho geminado de dona Ermínia.

POBREZA OPERÁRIA

Lula era um operário qualificado, ganhava salários melhores do que o de seus irmãos, mas tinha que ajudar em casa, e seu dinheiro dava para muito pouco. Quando trabalhava na empresa Frismolducar, no bairro do Ipiranga, muitas vezes voltava a pé para casa. Mesmo trabalhando, não tinha dinheiro para o ônibus. E quando os amigos perguntavam "Não vai pegar o ônibus?", Lula respondia que estava indo para um lugar próximo e escolhia um trajeto que cortava terrenos baldios, para que ninguém pudesse vê-lo andando a pé. Ia chorando pelo caminho.

Quando, na hora do almoço, se deparava com uma marmita praticamente vazia, Lula mentia para os colegas que estava sem fome, que comeria depois. Mas tudo isso era muito melhor do que o desemprego que ele conheceu em 1965. Ele acordava às seis da manhã, pegava a Via Anchieta e caminhava quilômetros e quilômetros. Com a carteira de trabalho amassada na mão, ouvia:

— Não temos mais vagas.

— As vagas já foram preenchidas.

— Não estamos precisando...

REVOLTA

A dureza da vida nunca fez de Lula um revoltado. Tinha aprendido com sua mãe a procurar o lado bom de tudo. Quando ainda estava no Senai, em 1962, Lula viu a primeira manifestação de operários revoltados com seus baixos salários. Quando chegou à fábrica em que trabalhava como estagiário, seu chefe, José, dispensou todo mundo. Disse que era melhor que ninguém trabalhasse, tinha muito piquete na rua. Alguns operários pegaram o caminhãozinho da empresa e convidaram Lula para ir junto. Queriam ver a agitação e atirar pedras nos vidros das fábricas que não haviam parado. Alguns trabalhadores derrubavam muros, como o da fábrica de produtos de juta São Francisco. Os fura-greves eram obrigados a passar por um corredor polonês, levando tapas, empurrões, ouvindo xingamentos.

Quando Lula chegou à rua Vemag, viu, aterrorizado, a cena mais violenta de greve de sua vida. Trabalhadores em passeata subiram as escadarias de uma tecelagem que ficava em um sobradinho. Queriam fazê-la parar. Assustado com a invasão, o dono da fábrica atirou. Um operário foi atingido na bexiga. A revolta tomou conta dos trabalhadores. O dono da tecelagem foi atirado pela janela do segundo andar. Caído no chão, o homem ainda foi chutado por manifestantes. Lula saiu correndo, sem saber se o empresário ou o trabalhador haviam morrido. O que tinha presenciado era terrível; ele não queria ver mais.

ZONA

Quando se tornou operário, Frei Chico conheceu novas ideias e formas de ver o mundo e de organizar o trabalho. Começou a frequentar o Sindicato dos Metalúrgicos de São Bernardo do Campo e Diadema. Mais tarde, sem que ninguém de sua família suspeitasse, se filiou clandestinamente ao Partido Comunista Brasileiro, o "Partidão". Aprendeu o significado das expressões "ideologia", "exploração", "luta de classes". Um vocabulário muito diferente daquele que aprendeu em casa. Foi na militância sindical que ele, que era ateu, recebeu o apelido de Frei Chico. Uma brincadeira por causa da sua careca franciscana.

No ano de 1968, quando Frei Chico trabalhava na Carraço, uma indústria de carrocerias de caminhão, seu desejo era ser candidato à direção do Sindicato dos Metalúrgicos de São Bernardo do Campo e Diadema. Ele não sabia que naquele momento o destino armava uma peça. Como outro operário da mesma fábrica já era diretor do Sindicato, Frei Chico não

Frei Chico e Lula,
ainda adolescente,
em São Paulo

poderia ser também. Sem poder fazer parte da disputa, teve a ideia de arrastar Lula para ficar temporariamente no seu lugar no sindicato:

— Lula, vamos... Vamos pro sindicato comigo, vem!

— Frei Chico, sindicato? E eu tenho a minha mãe na zona pra ir pra sindicato?

— Mãe na zona? Quem disse que no sindicato só dá filho de puta?

— Todo mundo sabe, Frei Chico, não precisa dizer...

— Você tá falando bobagem! Ô cara alienado...

— Eu? Alienado? Não enche o saco, Frei Chico. Deixa eu assistir minha novela.

— Novela, Lula?

— É bem melhor ver novela do que encher linguiça no sindicato.

SINDICATO

Lula foi praticamente arrastado para o sindicato pelo irmão mais velho. Frei Chico tinha autoridade sobre ele. Mas quando assistiu na assembleia a uma disputa de ideias entre dois oradores brilhantes, enxergou naquele jogo uma partida mais emocionante que as do Corinthians, o timão que tanto amava. Passou a ver no trabalho sindical algo tão interessante quanto o futebol. Teve vontade de voltar ao sindicato na semana seguinte, para ver as próximas jogadas. Até que percebeu ter acompanhado cada disputa sindical até o fim do torneio. E foi para a arquibancada nos vários campeonatos que se seguiram.

Lourdes, a namorada de Lula, não gostava que ele estivesse metido com o sindicato. Dentro da fábrica de tecidos em que trabalhava, todo mundo dizia que sindicato era questão de polícia. Trabalhador direito, homem de família, não deveria mexer com isso. E se Lula já tinha pedido sua mão em casamento, para que se arriscar tanto?

CASAMENTO

A cada dia Lula mudava. Dentro do sindicato, começava a ver o mundo de um jeito diferente. Por isso usou todos os seus argumentos para fazer com que Lourdes aceitasse sua nova decisão: faria parte da militância sindical. Ainda que não concordasse, que sentisse alguma coisa ruim no ar, um cheiro de dor ou de morte, Lourdes estava apaixonada. E na condição de apaixonada, aceitou o que seu amado decidiu.

Numa cerimônia simples na casa da sogra, com sanduíche de churrasco, batatinha, guaraná e um bolo encomendado pela mãe, Lourdes casou-se com Lula. Era dia 25 de maio de 1969, um mês depois de Luiz Inácio tomar posse no sindicato como suplente na diretoria.

Foi um dia feliz para Lindu. Ela adorava Lourdes, assim como todos os seus genros e noras. Para ela valia o ditado "Quem beija meu filho, minha boca adoça".

Lourdes e Lula se casam

DENISE PARANÁ

Na hora de partir para a viagem de lua de mel, Lula se agarrou à mãe e chorou feito criança. Lindu chorou junto, mas ele já era homem, um homem casado, e precisava ir para não fazer feio. Os pombinhos tinham planejado pegar um ônibus para Poços de Caldas, em Minas Gerais, e ficar uma semana por lá. Mas nem a cascata do Véu da Noiva, nem as charretes puxadas por bodes na praça central diminuíram a saudade que Lula tinha da mãe. O caçulinha de Lindu voltou dias mais cedo. Seus olhos estavam secos de tanto chorar. Como uma nora ideal, Lourdes não o impediu. Para ser sincera, ela também tinha saudades de casa.

TONS DE AZUL

A mulher que Lula escolheu para viver junto o resto de seus dias tinha personalidade parecida com a de sua mãe. Lourdes não era uma moça de grande cultura, possuía apenas o primeiro grau completo e um diploma de costureira que conseguiu com dificuldade. Mas sabia o essencial: que a vida é aquilo que a gente quer que ela seja. Por isso, no esgoto ao redor de sua casa, ela preferia ver o reflexo do céu, seus tons de azul. Nas lesmas que deslizavam pelas paredes emboloradas do quarto, preferia ver a reforma que pretendia fazer, o quarto sequinho, o quadro de Nossa Senhora que seria pendurado ali. Lourdes era feliz porque decidiu ser. Além disso, tinha o homem que amava e seu próprio emprego. O que mais poderia querer?

A melhor hora do dia era quando chegava à casa do trabalho. Sem se preocupar com mais nada, preparava o jantar para o seu amado. Logo, Lula entraria pela porta da frente e a beijaria com paixão. Ele também era um homem feliz. Tinha tudo com o que sonhou. Era um operário qualificado com carteira de trabalho assinada e, melhor ainda, a mulher de sua vida. Mas no dia em que Lourdes chegou emocionada, dizendo para Lula que trazia novidades, ele descobriu que a vida podia ser ainda bem melhor. Lourdes estava grávida. Lula mal podia acreditar: ele, Luiz Inácio da Silva, o caçulinha de Lindu, seria pai naquele ano de 1971!

O BEBÊ DOS SONHOS

Com todo o carinho de uma mãe que sonhava com um filho desde a infância, quando cobria de beijos suas bonecas de plástico, Lourdes ninou seu bebê meses antes de ele nascer. Não pressentia o sexo, mas imaginava cada detalhe do rosto, as covas na bochecha, o sorriso banguela, as dobrinhas do corpo, as mechas de cabelo preto. Podia até ouvir o chorinho e ninar seu filho com cantigas feitas com sons de imaginação, sentindo aquele cheirinho gostoso de bebê.

Mas quando chegava ao sétimo mês de gravidez, Lourdes começou a se sentir fraca. Mal dava conta de seu trabalho. O quarto e cozinha não estava tão bem-cuidado como antes. Lourdes vomitava. Tinha tonturas. Sentia dor. Depois de perambular por postos de saúde, Lula a levou ao Hospital Modelo, em São Paulo. Não quiseram interná-la. Lula insistiu muitas vezes. Mas foi tratado como eram tratados os peões:

— Doutor, eu acho que ela está com hepatite.

— O médico aqui sou eu. Sua mulher está com os sintomas normais de gravidez.

— Doutor, ela está mal. Ela não é assim. Ela está amarela...

— Você não sabe nada. É só andar que passa. Agora sai da minha sala.

Por mais que tentasse, Lula não conseguia convencer os médicos de que Lourdes estava doente. Os homens de branco tinham todo o poder. Apenas quando os olhos de Lourdes ficaram completamente amarelos, cor de gema, Lula conseguiu interná-la. Mas aí ela estava pior, muito pior. E ele sabia disso.

Lourdes tinha medo de morrer antes de conhecer o rosto do filho com quem tanto sonhou, sem sentir seu calor, tocar sua pele. Mas Lula se lembrava sempre de sua mãe dizendo "as coisas vão melhorar". Ele estava certo de que logo teria sua mulher de volta, seu filho engatinhando pela casa, jogando bola, aprendendo com ele a empinar pipa, a fazer tantas coisas legais que ele iria ensinar.

Os médicos proibiram Lula de ficar com Lourdes no hospital. Mas no pouco tempo que teve ao seu lado, tentou acalmá-la:

— Tudo vai dar certo...

— Não. Eu estou morrendo, Lula. Estou morrendo.

— Não está não. As coisas vão melhorar. Você vai ver. O médico disse que amanhã eles vão te fazer uma cesária. Vocês dois vão ficar bem!

— Não, Lula. Não vai dar...

— O médico disse para eu ir para casa agora e trazer as roupinhas do bebê amanhã de manhã.

— Não. Fica comigo...

— Eles me proibiram de ficar. Amanhã eu volto. Amanhã de manhã estou aqui com as roupinhas. Eu te amo.

SAPATINHOS DE CROCHÊ

Na manhã do dia 8 de maio de 1971, Lula chegou ao Hospital Modelo abraçando as roupinhas do bebê que Lourdes cuidou com tanto carinho. Os sapatinhos de crochê, as fraldas bordadas à mão em ponto de cruz, os casaquinhos e a manta para sair da maternidade com fita de cetim. No balcão, Lula perguntou por sua mulher e seu filho. Logo foi chamado pela atendente.

— Seu Luiz Inácio?

— Sou eu.

— O médico quer falar com o senhor. Por aqui, nesta sala...

— Seu Luiz Inácio?

— Meu filho já nasceu?

— Sinto muito. Sua mulher e seu filho morreram.

O AVESSO

Lula vomitou. Caiu sentado no sofá da recepção do hospital. Estava acostumado a sofrer. Mas aquele era um sofrimento maior que o sertão. Maior do que o mar que conheceu em Santos. Maior do que tudo o que já tinha imaginado na vida. Quase desmaiou. O médico tentou lhe dar um calmante. Ele não quis. Por que ofereciam remédios, se quando Lourdes precisava não teve?

Sua mulher morreu dando a vida, num avesso de parto. Seu filho nasceu sem nascer. Lula se sentia morrendo, com sua família.

CICATRIZ

Quando chegou ao hospital, enlouquecido de dor, Lambari encontrou o corpo da irmã ao lado do de seu sobrinho. Os dois estavam cobertos por lençóis. Mas uma dobra no pano deixava ver a cicatriz que Lourdes trazia no tornozelo. Era uma lembrança que uma enxada tinha deixado quando ela ainda era criança e trabalhava na terra. Lambari soube que a irmã morreu no parto, na cesariana que tentaram de última hora. Nem mãe nem filho resistiram. O laudo médico dizia que a causa da morte era hepatite.

Maria Baixinha vestiu os dois corpos, deixou-os prontos para o velório. Em outra sala, Lindu tentava aplacar a dor do filho e a sua própria.

SEM CHÃO

Desde que viu Lourdes amarelada, Lindu entendeu imediatamente que sua nora estava com hepatite e avisou a família.
A mãe de Lula pressentiu sua morte. As velas que acendeu, as
rezas que fez, os mil pedidos de cura desta vez ela sabia que não
iriam resolver. Intuía que o destino do casal já estava traçado.

Os corpos foram velados na casa que era de Lourdes e
Lula. Nem mesmo o assoalho aguentou o peso daquele momento. Suas tábuas velhas e fracas ruíram. Os caixões cede-
ram e quase caíram. A casa estava lotada de parentes e amigos. O viúvo, irônico com sua própria dor, dizia, apontando
para os caixões:

— Vocês querem conhecer minha família? Olha, não é
linda?

DEPRESSÃO

Três anos e meio de depressão se seguiram na vida de Lula.

O DIA DENTRO DA NOITE

Assim que Lourdes morreu, Lindu decidiu morar com Lula e
carregou junto Tiana, que ainda era solteira. Lindu nunca dei-
xaria seu filho viúvo sozinho e sem apoio.

Lula, com um sobrinho,
pouco depois
de ficar viúvo

Infalivelmente, todo final de semana, todos os meses, todas as estações do ano, Lula levava flores ao Cemitério da Pauliceia. Lourdes e seu filho haviam sido enterrados num lugar comum, dividido entre aqueles sem recursos para ter sua própria cova. Músicas de amor emocionavam Lula. Onde quer que tocassem, no ônibus, num mercado, na lanchonete, na casa de amigos, faziam brotar lágrimas nos seus olhos. Por saber de sua reação, ele evitava música. Também não tinha fome. Não tinha sono. Nem sonho. Respirava mecanicamente, sem suspiros. Mas o tempo, com sua alquimia, se encarregou de transformar seus sentimentos. E assim como não se pode saber quando começa o dia dentro da noite, o antigo prazer que Luiz Inácio sentia em estar vivo foi renascendo onde antes só havia depressão. Depois de uma longa noite, Lula amanheceu.

PARTE III

Lula e Marisa em lua de mel, em Campos do Jordão, São Paulo

SOBRE O ATLÂNTICO

No início do século XIX, um navio carregado de imigrantes europeus cruzava o oceano Atlântico rumo ao Brasil. Dentro dele, as famílias Rocco e Casa sonhavam com um futuro melhor. Eles nem sabiam ao certo onde iriam se instalar. Vinham da Itália, assim como os ancestrais de dona Lindu. Enquanto a família de Lindu ocupou o interior nordestino, os Rocco e os Casa acabaram se ajeitando mais ao sul, no estado de São Paulo, na área rural de São Bernardo do Campo, onde as terras, assim como as do sertão, valiam pouco. Tornaram-se agricultores, mas não deixavam de criar alguns animais, galinhas, porcos e um pouco de gado leiteiro. Tal qual acontecia em tantas outras comunidades agrícolas, inclusive na de dona Lindu, as famílias Rocco e Casa, por estarem isoladas, casaram seus filhos entre si. Foram três gerações de casamentos entre famílias até que, na década de 50, seu Antonio João Casa e dona Regina Rocco Casa, sem quebrar a tradição, conceberam uma menininha de cabelos loiros e olhos verdes que batizaram de Marisa Letícia.

OS DOCES E O MARIDO

Aos 5 anos, a menina deixou a roça e, junto à sua família, instalou-se próxima ao centro da cidade de São Bernardo; alguns de seus irmãos já tinham se tornado operários e os outros também não queriam ficar plantados na terra como os pais. Quando fez

9 anos, Marisa Letícia começou a trabalhar como babá e, aos 14, tornou-se operária. Primeiro veio a fábrica de doces Dulcora, famosa por seus drops; depois Marisa foi para uma fábrica de chocolates embrulhar bombons e ovos de Páscoa. Adolescente, seu prazer era passear com suas amigas na praça Lauro Gomes, caminhar pela avenida Marechal Deodoro, conversar e, eventualmente, paquerar rapazes que iam para lá justamente com essa intenção. Marisa começou a notar que um garoto bonito, com seus 18 anos, parecia observar seus horários. Ele esperava todos os dias para vê-la passar pela praça. Até chegar um momento em que, tomando coragem, ele se aproximou, puxou uma conversa e, mais tarde, lançou um convite tímido para tomarem um guaraná juntos. Marisa logo entendeu que aquele moço, Marcos dos Santos, se tornaria seu marido. Só não imaginou que seria tudo tão rápido. Alguns meses depois, no ano de 1970, os dois se casaram.

VERTIGEM

Apesar de serem tão jovens — ambos tinham apenas 19 anos —, as responsabilidades do casamento não assustaram Marcos e Marisa. Assim como o casal Lula e Lourdes, eles também eram muito felizes. Na lua de mel, Marisa engravidou. Marcos passou a considerar seu salário curto demais para as despesas que estavam por vir e para a casa própria que sonhavam um dia comprar. Metalúrgico, decidiu fazer jornada dupla de trabalho. Durante a manhã e o início da tarde cumpriria seu turno na fábrica e, depois das quatro, pegaria emprestado o táxi do seu pai para fazer corridas até as dez da noite. As poucas horas de sono que restavam para Marcos eram recompensadas quando ele chegava à casa, beijava sua amada e admirava a barriga de gestante que acolhia um filho seu. Marisa, assim como Lourdes, com todo o carinho de uma mãe que sonhava com um filho desde a infância, quando cobria de beijos suas bonecas de plástico, ninou seu bebê meses antes de ele nascer.

Numa noite, seis meses depois do dia do seu casamento, Marisa estava em casa, tranquila. Marcos trabalhava, quando alguns homens se aproximaram do seu táxi. Ele percebeu que eram assaltantes. Mas não dava mais para fugir. Roubaram sua carteira, seu relógio, todo o seu dinheiro. Antes de partir, atiraram. Marcos morreu na hora. No sexto mês de casamento, no sexto mês de gestação, Marisa ficou viúva.

TRAGÉDIAS

Marcos era filho único, e o filho que Marcos deixou por vir era o presente mais esperado que seus pais, mergulhados no luto, poderiam esperar. Apesar dos mil cuidados que tomaram para informar a nora Marisa da tragédia, ela passou muito mal. Ficou um longo período internada, tomou doses cavalares de remédios para não perder a criança. Marisa não parou para pensar em sua vida, seu pesar, em seu sonho interrompido. Pensava só na saúde de seu filho, no desejo de que ele sobrevivesse. Depois de três meses de gestação dificílimos, seu filho nasceu saudável e recebeu o nome do pai. Marisa, viúva de Marcos, era mãe. No mesmo momento, próximo dali, Lula, viúvo de Lourdes, enterrava seu filho.

FAMÍLIA SINDICAL

Sem sua amada e seu filho, Lula substituiu a família que tinha perdido pelo Sindicato dos Metalúrgicos de São Bernardo do Campo e Diadema. Suas horas de solidão eram preenchidas lá, com dores e alegrias de outros homens e mulheres. Lula se agarrava em sua militância sindical como um náufrago. E, quando começou a ver o mundo em tons menos cinza, Lula já tinha conquistado enorme popularidade dentro do sindicato. Entre 1968 e 1972, como suplente da diretoria, ele ainda trabalhava no chão da fábrica. Era funcionário da indústria metalúrgica Villares e sonhava conseguir virar o jogo a favor dos operários. Mas descobriu que os poderes de quem está na linha de montagem eram limitados. Embora ficasse frustrado por não poder fazer muito, Lula ganhou legitimidade dentro da fábrica. Era chamado para intervir em negociações. Por isso, foi chamado, em 1972, para atuar como primeiro-secretário do departamento jurídico do Sindicato dos Metalúrgicos. Nessa época começou a fazer cursos, a aprender coisas novas, a ampliar horizontes.

O FUSCA

Quando conseguiu sair de fato de seu longo luto, Lula decidiu que, se o destino havia lhe oferecido o pão que o diabo amassou, ele agora seria freguês de outras padarias. E tentou recuperar o tempo perdido, vivendo inúmeras aventuras amorosas. O antigo Lula, tímido com as mulheres, seria enterrado. Tornando-se uma espécie de Don Juan são-bernardense, quase todas as noites, ao sair do sindicato, Lula aproveitava a vida em bailes, festas, barzinhos, de olho nas moças que cruzassem o seu caminho. Nessa época, conheceu Miriam Cordeiro, com quem começou a namorar.

Como Lula não tinha carro e os ônibus não circulavam tarde da noite, era obrigado a tomar táxi quando voltava da casa dela. Existiam, então, os táxis-mirins, menos luxuosos, que faziam uma corrida barata o suficiente para caber em seu orçamento. Como no ponto em que Lula pegava táxi circulava apenas um fusca, um único táxi-mirim, ele acabou se tornando freguês de um mesmo motorista. Pelo caminho de volta para casa, sentado no táxi, ia pensando que, embora gostasse de sua namorada, não estava apaixonado, nem se imaginava casado com ela. Queria encontrar alguém para passar junto o resto da sua vida e desejava que aquilo acontecesse logo. Numa dessas noites, enquanto pensava na vida durante o trajeto, o motorista do táxi decidiu quebrar o silêncio, contando um pouco de sua vida:

— Este táxi que eu estou dirigindo é meu ganha-pão. Mas quando eu penso no que aconteceu neste carro, minha vontade é largar tudo...

— O que foi?

—Meu filho. Meu filho foi assassinado aqui, dentro deste carro. Neste banco onde eu estou sentado.

— Assalto?

— Assalto. Levaram tudo. Depois deram tiro.

— Puxa... Morreu na hora?

— Na hora. Não teve jeito.

— Nem me fale em morte. Eu saio toda noite para tentar esquecer. Também perdi filho.

— Perdeu também? Então conhece esta dor desgraçada.

— É. Só que o meu foi na hora de nascer. Perdi mulher e filho, os dois juntos. Minha vida acabou. Viúvo com 22 anos...

— Minha nora estava grávida de seis meses. E ficou viúva aos 20...

O motorista tirou de dentro do porta-luvas uma foto da nora com seu netinho no colo. Lula olhou aquela moça loira de olhos claros, como a sua mãe. Viu o sorriso maternal, a expressão de quem não se espanta com a dureza da vida e segue em frente. Achou a loirinha linda e imaginou que ela ficaria bem em seus braços.

VIUVINHA

Quando Lula voltou ao sindicato para trabalhar, avisou a um assistente:

— Olha, quando aparecer qualquer viuvinha por aqui, assim novinha, você me chama. Deixa que eu atendo ela, tá?

— Viuvinha, Lula?

— É... Uma viuvinha... Ou você acha que tenho que passar o resto da minha vida sozinho?

Dias depois seu assistente o chamou.

— Olha, tem uma viuvinha aí... Novinha. Você pediu...

Estava lá uma jovem viúva em busca de um carimbo para que pudesse receber a pensão do seu marido. A lei exigia que um sindicato carimbasse um documento que ela tinha nas mãos. Só assim a pensão seria liberada. Antes, ela cumpria o ritual num outro sindicato, mais perto de sua casa. Mas ele fechou e ela decidiu tentar o Sindicato dos Metalúrgicos de São Bernardo do Campo e Diadema. Lula levantou rapidamente e foi atendê-la. Olhando para a viúva, a achou linda. Pegou o documento e descobriu que a moça era exatamente a nora do motorista de táxi. Justamente aquela que ele imaginou em seus braços! Lula sorriu. E depois de pensar por alguns segundos no que iria fazer, disse para Marisa:

— Sabe, a lei do carimbo mudou...

— Não, não mudou não. Eu ia sempre no outro sindicato, eles batiam o carimbo e eu recebia logo a pensão do meu marido.

— Mas agora mudou. Eu vou ter que conversar com você sobre essa mudança que teve no INPS.

— Não posso, estou em cima do meu horário de trabalhar.

— Então, volta amanhã. Amanhã eu te explico tudo com calma.

Lula guardou o documento. Só assim a viúva seria obrigada a voltar lá no dia seguinte. Foi o que aconteceu. Quando ela chegou, Lula tentou explicar as novas mudanças da lei, mas não falava nada que fizesse muito sentido, simplesmente porque nenhuma lei tinha, de fato, mudado. O que ele queria era falar sobre sua vida e perguntar sobre a dela.

— Você já é viúva e é tão jovem...

— Sou. E tenho um filho. E preciso do dinheiro dessa pensão. O que eu ganho não é suficiente.

— Sabe, eu também sou viúvo!

— Mas eu não estou querendo saber se você é viúvo ou não. Estou querendo só que você bata o carimbo pra eu receber!

— Ah, mas você é tão jovem...

— Não interessa, bata o carimbo pra eu receber!

Marisa já estava ficando impaciente com aquela conversa. Percebendo, Lula deixou cair no chão propositalmente uma carteirinha sua, na qual estava escrito em letras grandes que ele era viúvo. Queria que ela percebesse que ele dizia a verdade. Mas Marisa não se comoveu nem um pouco:

— Ah, você é viúvo mesmo. Tudo bem, então agora me dá o carimbo!

Lula não deu, tentou explicar que a lei tinha mudado mesmo e que a viúva precisava voltar lá em alguns dias. Ela ficou contrariada, mas voltou. Lula finalmente carimbou o documento, mas não sem antes conseguir seu número de telefone. A essa altura, ele já estava louco pela nora do motorista de táxi. Que coincidência! Achou incrível a vida deles se cruzarem. Ambos viúvos ao mesmo tempo. Se tivesse sobrevivido, seu filho, que também era menino, teria a mesma idade do filho daquela viuvinha!

Lula pensava em Marisa todo o tempo, ligava para sua casa todas as noites. Mas ela não estava nem um pouco entusiasmada e falava para a mãe:

— Se for aquele rapaz chamado Lula, nem me passa a ligação. Diz que eu não estou. Que fui trabalhar. Inventa qualquer coisa.

Não teve jeito. Lula começou a ir encontrá-la na saída da escola de onde agora ela era funcionária. Passou a vigiá-la quando voltava para casa e descobriu seu endereço. Uma noite foi buscá-la para sair. Mas Marisa estava esperando seu namoradinho ir apanhá-la e ambos chegaram juntos. Sem cerimônia, Lula dispensou o moço e avisou à mãe de Marisa que ele, Luiz Inácio da Silva, era o namorado dela.

— Namorado? Agora é você o namorado da minha filha?

— Sou eu sim. A partir de agora é só comigo que ela sai.

Marisa, pega de surpresa, não reagiu. Carlos, o namoradinho, foi embora. Mas durante muito tempo ficou seguindo o novo casal.

OPÇÕES

Quando começou a namorar Marisa, Lula recebeu a notícia de que sua ex-namorada, havia algum tempo, esperava um filho

Casamento civil de Lula e Marisa

seu. Mas ele estava completamente apaixonado pela viuvinha. Apesar de ficar feliz ao saber que seria pai, estava claro para Lula que ele deveria passar o resto de seus dias com Marisa Letícia. Lula decidiu que registraria o filho em seu nome, que daria todo o apoio e seria um bom pai. Mas não se casaria com sua ex-namorada. Não fazia sentido, ele amava outra mulher. Meses depois, Lula foi pai de um bebê saudável, uma menininha muito bonita.

Lindu ficou feliz com o nascimento. Seu caçulinha finalmente era pai. E pai de um bebê maravilhoso. Lindu ganhava mais uma netinha. E rezava, pedia aos seus santos tão queridos, amigos de todas as horas, para que seu Luiz Inácio encontrasse uma moça com quem quisesse se casar.

DENISE PARANÁ

ALÍVIO

Foi num churrasquinho da família na Praia Grande, litoral de São Paulo, que Lula apresentou para a mãe uma moça descendente de italianos, bonita, simpática, chamada Marisa Letícia. Ele contou que, assim como Maria Baixinha, sua nova namorada tinha sido babá aos 9 anos. Havia muitas coisas em comum entre eles, além de suas tragédias pessoais. Lindu aprovou a escolha da moça e foi tomada por uma intuição de que aquilo não só ia dar em casamento, mas que seria uma união longa e feliz. Finalmente ela se sentia aliviada, tranquila em relação ao seu caçulinha. Nessa época, um a um, seus filhos haviam se apaixonado e construído suas próprias famílias. E, como aconteceu quando Lindu era nova, ainda em Caetés, ano a ano ela ganhava bebês; mas dessa vez não eram filhos, e sim netos. Netos amados. Essa foi a melhor fase de sua vida. Ela lambia orgulhosamente todas as suas crias e as crias de suas crias. E agora seu Luiz Inácio estava bem encaminhado. O que poderia ser melhor?

Seis meses depois de se conhecerem, em 1974, Lula e Marisa celebraram seu casamento no civil. Fizeram uma festinha simples, um almoço para Lindu, os pais de Marisa, o filho Marcos e os padrinhos. O novo casal passou uma semana de lua de mel em Campos do Jordão. Dessa vez Lula não voltou para casa mais cedo, chorando de saudade. Já estava mais maduro. Era primeiro-secretário do Sindicato dos Metalúrgicos de São Bernardo do Campo e Diadema.

PRESIDENTE MUDO

Em 1975, sob o governo do Presidente Geisel, o Brasil estava mergulhado numa ditadura militar; aos sindicatos sobrava apenas o papel assistencialista, de fornecer apoio médico, odontológico e jurídico, sem entrar de fato na briga pela defesa dos interesses maiores dos trabalhadores. Lula trabalhava o quanto podia para ajudar os sindicalizados nas questões jurídicas relativas aos benefícios aos quais os trabalhadores tinham direitos. Quando chegou ao fim a gestão da diretoria, na qual Lula era primeiro-secretário, foi necessário eleger um novo presidente para o sindicato. O nome de Lula foi se fortalecendo naturalmente, até tornar-se inevitável a sua candidatura à presidência.

O antigo presidente se chamava Paulo Vidal e, embora fosse um homem conservador do ponto de vista político, tinha uma visão modernizadora do que deveria ser um sindicato. Paulo também era inteligente e, acima de tudo, ótimo orador. Nas cerimônias públicas, já havia roubado várias vezes a palavra de Lula. O tímido primeiro-secretário sentia que estava fazendo papel de palhaço, mas só conseguia dizer:

— Olha, gente, o Paulo Vidal já falou tudo.

Quando a diretoria indicou Lula como candidato à presidência para sucedê-lo, Paulo Vidal, muito astuto, aprovou: Lula cativava muitos amigos, mas não conseguia falar em público. Calculou que, assumindo o cargo de secretário-geral, ele, Paulo, seria quem na prática presidiria o sindicato, e não Lula.

Afinal, quem respeitaria um presidente mudo em assembleias?

92%, NOVE MESES E NOVE DIAS

Em 1975, Lula tinha se tornado popular. Era bem relacionado com todas as correntes políticas abrigadas dentro do sindicato. Embora fosse conservador politicamente, ao contrário de outros sindicalistas da diretoria, Lula não se negava a conversar com todos. Debatia, tomava uma cachacinha com os militantes de esquerda do Partido Comunista Brasileiro, o Partidão, do Partido Comunista do Brasil, o PCdoB, com a Ação Popular, a AP. Cheio de carisma, Lula foi eleito presidente com 92% dos votos.

Marisa apoiou a candidatura do marido. Ela sentia que a vida agora parecia caminhar para frente. E como era uma mulher muito fértil, assim como aconteceu na primeira vez em que casou, também ficou grávida logo na lua de mel. Fábio nasceu nove meses e nove dias depois da festa de casamento. Na cerimônia de posse da presidência do sindicato, o pequeno Fábio tinha poucos dias de vida. Mas ele não era o primeiro menino que Lula ganhava. Desde que começou a namorar Marisa, tratava o pequeno Marcos como se fosse seu filho. Embora o menino conhecesse a história de seu pai biológico, da tragédia antes do seu nascimento, tinha em Lula seu verdadeiro pai. E quando completou 10 anos, pediu a ele que o adotasse

Lula cumprimenta o governador de São Paulo, Paulo Egydio Martins, na cerimônia de posse da presidência do Sindicato dos Metalúrgicos de São Bernardo e Diadema

legalmente, mudando seu sobrenome para Silva. Lula, feliz, atendeu imediatamente ao pedido de Marcos.

PEDIDOS

Além das demandas da nova família que tinha constituído com Marisa, Lula tentava atender aos pedidos da grande família que sentia ter no sindicato. Ainda em 1975, Luiz Inácio da Silva era o presidente legítimo do Sindicato dos Metalúrgicos de São

Bernardo do Campo e Diadema. E não era pouca coisa: representava quase 100 mil associados.

Sob a presidência de Lula, a instituição mudou sua dinâmica e abriu suas portas para debates. E nem era preciso que os trabalhadores se deslocassem até a sede do sindicato. O próprio sindicato ia até eles, conversar na porta da fábrica, ouvir suas queixas, suas propostas, tornar-se instrumento real de defesa de seus interesses. Aos pouquinhos, Lula foi aprendendo a falar em público. É certo que não foi de uma hora para outra. Na primeira vez que deu uma entrevista para a TV, suas pernas tremiam tanto que foi obrigado a sentar para não cair.

Na cerimônia de posse da presidência, seu nervosismo quase o impediu de ler um discurso que já tinha estudado por horas. Os olhos de Lula passearam pela plateia. Viu presentes grandes autoridades, como o governador do estado de São Paulo, Paulo Egydio Martins. Viu a expectativa da peãozada. O olhar de apoio de Marisa, o sorrisinho maroto de Marcos, sem entender muito bem o que acontecia. Mas o rosto iluminado de sua mãe Lindu era como se ela dissesse "vai filho, você consegue". Lula conseguiu. Talvez a plateia tenha percebido seu aperto, mas o conteúdo de sua fala foi o que mais chamou a atenção. Numa espécie de discurso de vanguarda, escrito com a ajuda do advogado do sindicato, Lula criticou o capitalismo e o socialismo.

Criticar o capitalismo numa época repressiva como aquela havia sido um ato de muita coragem. Criticar o socialismo foi visto por alguns militantes de esquerda como indício de que Lula era um infiltrado do governo militar ou um representante da CIA, a Agência Central de Inteligência norte-americana. Mas o que Lula fez foi uma crítica a qualquer regime que não garantisse liberdade; uma ideia considerada muito avançada para aquele momento.

MULHERES E POLÍTICA

Quando Frei Chico se tornou um militante de esquerda, era apenas um garoto de 18 anos. Ele trabalhava como operário não especializado numa indústria metalúrgica paulista chamada Metalac. Nessa época, procurou o Sindicato dos Metalúrgicos de São Paulo por um motivo nada político: como era jovem e queria namorar sábado, foi reclamar de seu turno de trabalho, que se esticava até as dez e meia da noite, tomando justamente o melhor horário para conquistar garotas.

Foi essa casualidade que fez o namorador Frei Chico entrar em contato com o mundo sindical, deixar de pensar só em meninas e descobrir outros prazeres. Ele começou a aprender o que era um sindicato, como funcionava, a conhecer seus dirigentes e suas disputas políticas. A partir desse momento foi tomando gosto pela coisa e, quatro anos mais tarde, aos 22, quando já se considerava um revolucionário, foi demitido por justa causa como "cabeça de greve". Em 1970, Frei Chico era militante clandestino do Partido Comunista Brasileiro, o PCB, então proibido pelo governo militar. Mas ele não tentou arrastar seu irmão para a militância clandestina. Uma única tentativa de convencer Lula nesse sentido foi feita por outro quadro do PCB em 1973. Para não criar qualquer suspeita, um militante marcou encontro com Lula num local público, num banco da praça da Igreja Matriz de São Bernardo. Lula o ouviu com atenção, porque costumava escutar com atenção todo mundo. Mas preferiu ficar de fora. Sua intuição o salvou. Se tivesse se vinculado a um partido clandestino, teria passado pelo horror que seu irmão viveu.

O HORROR

Em 1975, pouco tempo depois de assumir a presidência do sindicato, Lula foi convidado a participar de um congresso da Toyota no Japão. Era a primeira vez que viajava para fora do país. Quando estava no exterior, recebeu uma ligação do Brasil da qual nunca mais se esqueceu. Do outro lado da linha, o secretário do Trabalho do Estado de São Paulo falava firme e angustiado:

— Lula, você não pode voltar para o Brasil! Tem que ficar aí!

— O quê? Por que não posso voltar?

— Não pode. A repressão está pegando todo mundo! Já pegou o seu irmão. Frei Chico desapareceu!

— Como desapareceu?

— Ninguém sabe onde ele está! Foi morto... ou está sendo torturado! A repressão pegou ele, Lula, pegou!

— Frei Chico? Se ele desapareceu, eu tenho mais é que voltar correndo! Voltar agora!

—É suicídio voltar agora, Lula!

— Não. Eu vou voltar. Eu não devo nada. Eu vou embora. Quero saber do meu irmão!

—É suicídio, Lula! Você vai ser morto.

MORTO?

Lula preferiu arriscar-se e voltar ao Brasil. Precisava encontrar seu irmão e protegê-lo, se conseguisse. Pediu ao advogado do sindicato que o acompanhasse até a sede do II Exército, em São Paulo, onde tentaria levantar informações sobre Frei Chico. Lula sequer sabia se seu irmão estava vivo ou morto. E esperou por cinco horas para ser atendido. Enquanto isso, no DOI-CODI da rua Totoia, Frei Chico era interrogado: queriam que ele confirmasse que Lula tinha viajado para o Japão como desculpa para entregar uma carta ao líder comunista Luiz Carlos Prestes. Um absurdo que Frei Chico não confirmou. Lula só foi saber onde estava seu irmão muito tempo depois. Foram trinta dias longos de incertezas e martírio.

Lindu e sua família esquadrinharam cada metro próximo a sua casa, cada matagal. Imaginaram que poderiam encontrar o corpo de Frei Chico em algum lugar. Quem sabe ele não tinha sido morto numa tentativa de assalto, assim como foi o marido de Marisa?

A TORTURA

No início de outubro de 1975, quando Frei Chico era vice-presidente do Sindicato dos Metalúrgicos de São Caetano, recebeu informações confusas de que a repressão militar estava sumindo com militantes de seu partido, o PCB. Como a imprensa sofria censura, ele não conseguia confirmar as notícias, mas começou a intuir que algo muito ruim estava por acontecer. Numa manhã de sábado, quando sua mulher Ivenes havia saído com seus filhos, deixando a casa vazia, Frei Chico decidiu que aquele seria o melhor momento para se livrar de documentos do partido que escondia embaixo do tanque de lavar roupa. Imaginou que o melhor lugar para jogar aqueles papéis seria num terreno baldio próximo e saiu de casa com os documentos na mão. Teve início então o mais tortuoso e sangrento pesadelo de sua vida. Só anos depois, quando já conseguia conversar sobre o que aconteceu sem reviver tantas dores, contou para uma amiga:

— Naquele dia, eu já tinha ouvido falar de companheiros que haviam sumido. Tinha almoçado com o pessoal do meu sindicato que estava com muito medo. As notícias eram desencontradas, nada saía publicado, a imprensa estava censurada. Mas a gente sentia alguma coisa pairando no ar. Quando eu saí de casa à tarde, logo que comecei a caminhar fui abordado por homens armados que estavam dentro de uma Veraneio. Eu fiquei horrorizado. É uma situação terrível. A gente não sabe o que pode acontecer. Foi toda uma vida de luta. Anos de clandestinidade. Tudo passando pela minha cabeça, naquela hora.

A gente nem sabe o que pensar direito. Lembra dos filhos. Lembra da mulher, da mãe, de toda a família. Eu estava muito perto da minha casa e com o documento do partido comunista na mão. Aquilo não podia ser pior. Fui jogado para dentro do carro e ouvi dezenas de perguntas "quem você é?" "o que está fazendo aqui?" "Que papéis são estes?". Era um turbilhão. Diante daquilo, o que eu podia fazer? Estava com o documento e a minha identidade na mão, não tinha como negar. O impressionante é que ninguém na rua viu meu sequestro. Enfiaram uma máscara na minha cara e me levaram para um lugar que depois eu descobri que era o DOI-CODI. Mas todas as coisas eram feitas ali para deixar a gente apavorado. Para quebrar nossa autoestima. Para deixar a gente se sentir um animal, uma coisa qualquer. Tinham outras pessoas ali dentro. Mesmo assim, quem chegava tinha que ficar pelado na frente dos outros. Ficar pelado na frente de qualquer um, homem ou mulher. Era muito, muito constrangedor. Sempre tinha alguém olhando com cara feia. Depois da tortura moral, veio a física.

"Fui levado para uma sala pequena toda vedada para os gemidos de dor não serem ouvidos. Era uma sala de tortura que tinha uma tal cadeira do dragão. Ficar preso naquilo é um sofrimento horrível. A gente apanha até quase perder consciência, leva choque. E tem que confirmar o que eles já sabem. Se não fizer assim não se sobrevive. Mas tem horas que a gente confunde tudo o que está dizendo. Quando a gente sai da sala de tortura eles colocam dentro dela outro infeliz. E tudo começa de novo. Nem todo mundo sobrevive. Eu passei uma semana sendo torturado. Aquilo era um inferno. Mal dá para explicar. É uma coisa de louco. O objetivo dos torturadores é destruir o que existe de humano em nós. Quando a gente está sendo torturado, tem muita vontade de se matar. Os torturadores sabem disso, por isso ficamos sem cintos, sem cadarços de sapatos, nada que a gente possa usar para se enforcar... Até a forca é melhor que aquilo. A tortura não deixa só cicatriz física. Fica a cicatriz da alma."

VIRADA

Sofrendo em silêncio, Lindu esperou um tempo que para ela parecia infinito, até que descobrissem que seu filho não estava morto, mas preso. Assim que soube da notícia, agradeceu a Deus, a todos os santos para os quais havia pedido ajuda. E, disfarçando sua dor num olhar de alegria, visitou o filho na cadeia quando as visitas foram permitidas. Ela, que imaginava conhecer todos os sentidos da palavra sofrer, agora descobria que existiam outros. Com medo de remexer feridas, nunca conversou com Frei Chico sobre a tortura. E, para além das marcas deixadas no corpo e no espírito de seu filho, Lindu guardou suas próprias cicatrizes.

Quando Lula descobriu que Frei Chico tinha sido torturado, ficou revoltado. Sentiu que aquilo significava uma grande virada em sua vida. Começou a perguntar a si próprio:

— Qual é a lógica de prenderem um cara como meu irmão? Qual é a lógica de prenderem um cara pelo simples fato de ele ser contra as injustiças sociais do país? De prenderem um pai de família, um cara que trabalhou desde os 10 anos de idade, que se ferrou a vida inteira? De prenderem um cara que só tinha uma família e as ideias dele? E de repente chega um troglodita de um milico qualquer e manda prender este cara? E tortura este cara? Em nome do quê? Em nome de que ordem?

E disse mais tarde para seus amigos de sindicato:

— Se as porradas que o Frei Chico tomou foram ruins para o corpo dele, para minha cabeça foram uma coisa extraordinária! Porque, agora, eu não vou ter mais medo de nada! Se eu tiver que ser preso pelo que eu penso, que eu seja preso! Não ligo! Nunca mais vou medir as minhas palavras nas assembleias!

NEM MARX, NEM LENIN: LINDU

Lula de fato passou a não medir suas palavras nas assembleias do sindicato. Como a maioria dos operários que frequentava a instituição era mesmo de esquerda, ouvindo suas vozes, atendendo seus pedidos, Lula passou a pegar mais pesado na crítica que fazia ao regime militar. E eles adoravam quando Lula batia no governo. Por isso, Lula batia. Mas ele não era um militante de esquerda. Nunca havia lido Marx, Lenin, Trotski, ou qualquer referência do tipo. Seu mentor intelectual era uma mulher. Ela se chamava Lindu. Quando deixou Aristides, seu exemplo ensinou os filhos a terem coragem de enfrentar a autoridade sem legitimidade. Quando acolheu os filhos de Mocinha, apesar de tudo que havia sofrido, ensinou a seus próprios filhos lições de generosidade. Do seu modo, sem teorizar, Lindu dizia aos filhos que o mundo deveria ser bom para todos.

O QUE A LEI PERMITE

Em 1976, o sindicato de Lula organizou um grande evento de 1º de Maio, em protesto contra as condições nas quais os trabalhadores viviam. No ano seguinte, houve uma ampla campanha de reposição salarial. Cada assembleia realizada levava a outra assembleia maior ainda. Lula começou a fazer tantos discursos contra o governo militar, a dar tantas entrevistas críticas, que parte da diretoria pediu que ele estudasse a Lei de Imprensa, para não ser preso. Afinal, não se podia esquecer que o Brasil estava mergulhado numa ditadura. Mas Lula respondia simplesmente:

— Não. Não vou ficar estudando Lei de Imprensa nenhuma. Se eu for fazer só o que a lei permite, não vai dar pra fazer nada. Prefiro nem conhecer essa lei.

E quando seu advogado e a diretoria do sindicato pediram para Lula ler pelo menos a Lei de Greve, a resposta foi a mesma:

— Eu prefiro nem conhecer essa tal de Lei de Greve. Se a gente for conhecer, vai fazer só o que a lei permite. Aí não vai dar para fazer nada. A gente vai ser um sindicato comum.

Lula ia ouvindo os operários que frequentavam o sindicato. E assim, à medida que eles avançavam, ele também avançava. Se queriam que o presidente do Sindicato dos Metalúrgicos de São Bernardo do Campo e Diadema radicalizasse mais, ele radicalizava. Lula era a fiel tradução dos interesses de seus representados. Nem mais, nem menos. Como os trabalhadores mais assíduos na instituição eram os de esquerda, o sindicato também era. E depois, Frei Chico já havia sido torturado, e Lula, vivido um grande momento de virada. Agora, nada mais lhe botava medo.

SEM MEDO

Na campanha para a eleição da nova diretoria do sindicato, no ano de 1978, Lula reelegeu-se presidente com 98% dos votos. Junto a sua diretoria, Lula não saía da porta das fábricas. Eram assembleias de manhã, de tarde e de noite. Para informar os trabalhadores sobre as atividades do sindicato, em vez de publicar os desgastados boletins sindicais, Lula pediu a cartunistas que criassem boletins com histórias em quadrinhos. Assim surgiu o personagem "João Ferrador", sucesso absoluto entre os metalúrgicos.

Lula sentia que era preciso dar um salto de qualidade na atuação do sindicato. Naquela época havia uma lei de reposição salarial com índices definidos pelo governo. Lula percebeu e queria que os metalúrgicos também percebessem que apenas fazer grandes assembleias não recuperaria o poder aquisitivo, desgastado pela inflação. E por isso começou a campanha salarial de 1978, para mostrar que, se não houvesse uma luta mais intensa dentro da fábrica, nenhuma conquista salarial seria possível. Ele dizia:

— Trabalhador que quiser mais do que o governo oferece, vai ter que brigar mais! Vai ter que ter coragem política! Vai ter que enfrentar o governo, partir para a luta, sem medo!

A LUTA

O Sindicato dos Metalúrgicos de São Bernardo e Diadema organizou uma grande manifestação no feriado do dia 1º de maio de 1978. Mas seus dirigentes não falavam abertamente em greve, fazendo apenas uma propaganda subliminar. Afinal, as greves eram proibidas no regime militar e, do ponto de vista jurídico e político, poderiam provocar grandes problemas.

Onze dias depois desse evento, o inacreditável aconteceu: trabalhadores da indústria automotiva Scania pararam. Lula não sabia se pulava de alegria ou se ficava com medo. Nem ele, nem sua diretoria tinham qualquer experiência em organizar e sustentar greves. Foi um momento único. Se o futuro era incerto, nebuloso, não havia mais como voltar atrás. Depois da greve da Scania, dia após dia, o sindicato era informado de novas greves em novas fábricas, num movimento que se alastrava e não parava de crescer. Lula dizia:

— O pessoal pegou gosto pela greve! É uma alucinação! Para uma fábrica, entra outra em greve, depois mais outra e

Última foto de Aristides, na década de 70

mais outra. As fábricas vão parando, parando e não pararam mais de parar. É uma febre na categoria!

Poucas vezes na história do país os operários estiveram tão mobilizados em torno de uma causa. O ano de 1978 foi um dos mais ricos do movimento sindical brasileiro. Enfrentando o regime militar, os trabalhadores mostravam para a sociedade que a ditadura já dava sinais de fraqueza. Nasciam novas esperanças e começava a morrer o velho regime.

A MORTE DO VELHO REGIME

Naquela manhã do dia 12 de maio de 1978, quando recebeu a notícia de que a Scania estava parada, Lula tinha chegado ao sindicato cedo. Às sete horas da manhã, soube da greve. Uma hora e 15 minutos depois, recebeu uma carta com outra informação surpreendente. Aristides, seu pai, havia morrido. O homem que negava aos filhos a possibilidade de crescer, o pai que não dividia com justiça o fruto do trabalho, estava morto. Morria a autoridade injusta, o velho regime de Aristides.

A carta chegou com vários dias de atraso. Aristides já estava enterrado, não havia velório, nem nada mais a fazer. Apesar de ter gerado 24 filhos conhecidos, morreu sozinho. Uma prostituta que o acompanhava na ocasião encarregou-se do sepultamento.

Aristides foi enterrado em Santos, como indigente.

LUTO

Lula foi, com muito cuidado, contar a sua mãe que Aristides havia morrido. Lindu respondeu, simplesmente:

— Que Deus o tenha.

E nunca mais tocou no assunto. Ela já tinha vivido seu luto muitos anos antes.

IMPRENSA

Naquele ano de 1978, Lula se tornou nacionalmente conhecido. Alguns jornais do exterior também publicaram seu nome, como líder de greves inéditas. Ele já conseguia conversar de modo desinibido com quem quer que fosse. Os meios de comunicação de massa, com exceção dos mais conservadores, viam Lula com bons olhos. Ele era um grande mobilizador da classe trabalhadora contra a ditadura militar, um regime que, naquela época, depois da crise econômica de 1973, já não interessava a tanta gente. Além disso, por nunca ter construído nenhum tipo de vínculo com partidos ou organizações de esquerda, era tido como um homem em quem se podia confiar. Alguém que queria apenas uma distribuição de renda mais justa, não o fim do capitalismo. Não era uma ameaça, mas um aliado. E um aliado importante. Um homem que a classe trabalhadora ouvia e respeitava.

O SONHO

Sem reconhecer a legitimidade do regime militar, Lula olhava para o novo, para as possibilidades que surgiam. E não estava sozinho. Como ele, milhares de trabalhadores não sabiam que estavam escrevendo a história. Se 1978 foi o ano em que estouraram incontáveis greves, o ano seguinte traria algo maior: a greve geral. Trabalhando dia e noite até o limite de suas forças, Lula e sua diretoria dedicaram-se a organizar uma greve capaz de sacudir o país. Convocaram uma assembleia no maior espaço que tinham disponível em São Bernardo do Campo, o estádio de futebol da Vila Euclides. Dias antes, num jogo entre Guarani e Corinthians, Lula olhou o público e disse para seus amigos, em tom de brincadeira:

— No dia em que a gente fizer uma assembleia com um tanto assim de gente, nós vamos virar o país de ponta-cabeça!

Na semana seguinte, sem acreditar no que via, Lula observou a entrada do estádio, que parecia um formigueiro. Uma multidão de trabalhadores que não acabava mais. Para a diretoria do sindicato, aquilo tudo era tão novo quanto para os operários. Tudo teve que ser improvisado. Com o estádio completamente lotado e o coração na mão, Lula pediu que colocassem no centro do gramado quatro mesas de bar, para servir de palanque. Sem aparelho de som, Lula falava e os operários mais próximos a ele repetiam para os de trás, e assim sucessivamente, em ondas, até que suas palavras fossem ouvidas em cada canto do estádio.

A greve geral dos metalúrgicos, enfim, se concretizou. Mas depois de 15 dias parados, Lula percebeu que era necessária uma trégua. A negociação estava muito difícil. O governo havia feito uma intervenção no sindicato e a correlação desigual de forças poderia resultar num impasse. Em assembleia, pediu aos metalúrgicos que suspendessem a greve por 45 dias. Passado este período, o sindicato conseguiu um bom acordo com a indústria automobilística e propôs o fim da greve. Os 150 mil metalúrgicos liderados por Lula voltaram ao trabalho.

Mas nem tudo eram flores. Muitos trabalhadores ainda estavam envolvidos no clima de guerra e queriam continuar a greve. Eles viam agora em Lula a imagem de um traidor. Ouvindo gritos de "traíra" em alguns lugares por onde passava, Lula dizia a amigos que se sentia um miserável. Era torturado pela hipótese de os operários não verem mais nele seu representante legítimo. Por isso, decidiu convocar uma assembleia e propor uma nova eleição para a diretoria do sindicato:

— Nós queremos fazer um jogo limpo com vocês. Se vocês acham que nós somos traidores, é melhor então que a gente não volte para a direção do sindicato. Vamos convocar uma nova eleição e aí vocês elegem uma nova diretoria.

O resultado foi Lula e sua diretoria aclamados por unanimidade. Emocionados, chorando muito, saíram ainda mais fortalecidos para o embate do ano seguinte. E em 1980, já estavam experientes. Foram 41 dias de greve, e ninguém mais os chamou de traidores. Mas como Lula tinha previsto na greve anterior, naquele ano os trabalhadores se desgastaram, perde-

Marcos, Lula e Marisa, na casa de São Bernardo

ram poder de fogo e não conquistaram o aumento salarial que pretendiam.

TERROR PSICOLÓGICO

Em 1980, Lula estava cassado pelos militares, que intervieram no sindicato. Sua casa, comprada pelo BNH, era pequena, mas tinha que comportar dezenas de operários. Era o único "escritório" disponível, já que o sindicato havia sido ocupado pela polícia. Quando se tornava necessário reunir centenas de trabalhadores, combinavam de encontrar-se na igreja Matriz de São Bernardo do Campo. Naquele momento, o governo sabia que os operários não estavam para brincadeira e, como resposta, intensificou a repressão policial. Além das medidas objetivas, instalou o terror psicológico.

Lula e Marisa não tinham como deixar de perceber que sua casa era permanentemente vigiada por policiais. Nas primeiras semanas, os agentes ficavam em cima de um morro em frente, olhando com seus binóculos, registrando quem entrava e quem saía. Depois se tornaram mais ostensivos, instalando-se a três casas dali. Eram quatro ou cinco homens dentro de Veraneios, vigiando, vigiando, vigiando. Noite e dia, dia e noite. E quando Lula ou Marisa saíam de carro, para qualquer lugar que fossem, eram seguidos. Marisa, sem conseguir prever o que aguardava sua família, abraçava os filhos com medo. Foram momentos de uma angústia terrível.

Amigos haviam oferecido passagens e estada no exterior, sugerindo a Lula que deixasse o país e voltasse apenas quando a situação melhorasse. Seria um jeito de resguardar sua vida. Mas ele respondia:

— Não, com essa greve eu vou até o fim. Não vou fugir. Vou enfrentar tudo, até o final. Custe o que custar.

A PRISÃO

Não era possível esquecer. Marisa já tinha sido viúva. E a morte de seu primeiro marido vinha sempre na memória. Será que a tragédia se repetiria? Seria viúva mais uma vez? Lula acabaria

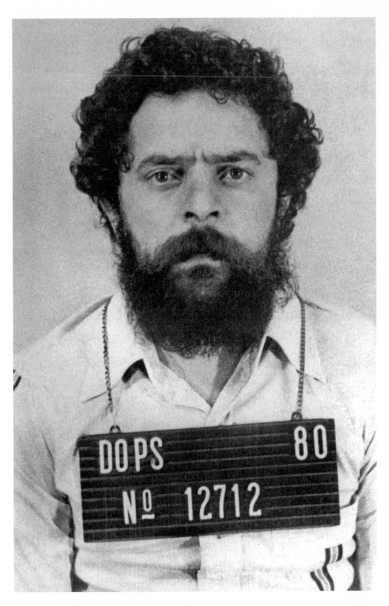

Lula ao ser fichado no DOPS, em 1980

levado pela repressão? Marisa sabia que nem todos tinham tido a "sorte" de Frei Chico. Nem todos sobreviveram à tortura. Alguns, como Vladimir Herzog, haviam ido para sempre, deixando família, filhos por criar. O que aconteceria com o pai de seus filhos ainda tão pequenos?

Numa das madrugadas de angústia daquele ano de 1980, quando Marisa dormia abraçada a Lula, ouviu gritos no portão:

— Senhor Luiz Inácio! Abra agora! A gente tem uma ordem de prisão. O senhor tem que abrir! Agora! Senhor Luiz Inácio!

Num salto, Marisa acordou Lula. Ela percebeu que a frente da casa estava tomada por policiais. Eram muitos. Mas o desespero de Marisa não contagiou Lula. Ele sentou na cama e, calmamente, pediu um café. Já esperava por aquele momento e não estava assustado. Marisa, em estado de pavor, temia que a polícia invadisse sua casa e promovesse um massacre ali dentro, na frente das crianças. Mas Lula tentava acalmá-la enquanto colocava sua roupa tranquilamente. Sua intuição lhe dizia que não havia motivo para pânico. Aquela era uma situação dura, mas podia ser enfrentada. Momentos duros eram inevitáveis.

O INEVITÁVEL

Já fazia algum tempo que Lindu sentia dores e passava por desarranjos intestinais. A sertaneja, acostumada a lidar com a aspereza da vida, quase nunca reclamava. Não queria assustar seus filhos ou dar trabalho. Todos já eram casados, tinham seus próprios filhos, família para cuidar. E Lula, então, coitado, ninguém possuía vida mais agitada do que ele. Mas quando o mal-estar se intensificou de um jeito que ficou visível aos olhos da família, Lindu foi levada a um médico.

No hospital, munida de exames, laudos médicos, suas filhas descobriram. Depois de ter pregado tantas peças na família de Lindu, o destino reservou para ela a peça final: seu útero, que tantas vidas gerou, agora guardava a morte. Quando foi descoberto, o câncer que começou no útero já havia se espalhado por todo o corpo. Nada mais podia ser feito, apenas diminuir os sintomas.

Lindu foi internada. Ela detestava hospitais, mas não se abalou. Nada a abalava. Depois que conseguiu exorcizar o horror da fome, o que desejava na vida era criar seus filhos e vê-los se tornar pessoas dignas. Queria simplesmente que as filhas mulheres nunca tivessem que se prostituir e que os filhos homens nunca se tornassem marginais. Este sonho ela sabia que havia conquistado e era feliz por isso.

Tiana, Maria e Marinete, assim como as noras, revezavam-se no quarto de Lindu. Elas lhe levavam revistas para que visse as fotos de seu Luiz Inácio, o metalúrgico brasileiro que enfrentou a ditadura. Lindu não sabia ler, mas entendia muito bem os perigos daquela travessia que seu filho havia se proposto a fazer. Parecia mais perigoso do que quando cruzaram seu mundo num pau de arara. Mas como ela podia pedir para o filho não se arriscar por aquilo que acreditava, se ela mesma, a vida inteira, havia dado exemplo contrário? Lindu rezava em silêncio. Pedia pelo filho, conversava com seus santos, velhos amigos que não costumavam deixá-la na mão.

DIA DAS MÃES

Preso no DOPS, Departamento de Ordem Política e Social, Lula viveu momentos bem menos dramáticos que Frei Chico em 1975. Sua intuição estava certa. A ditadura agora era menos cruel. Nem Lula, nem sua diretoria, também encarcerada, foram torturados. Na prisão, Lula recebia algumas visitas. A mais constante era a de Marisa, que levava os filhos para o marido ver. Mais que isso, Lula conseguiu autorização para visitar sua mãe no hospital. Mas não pôde vê-la no dia das mães, quando toda a família reuniu-se ao redor de Lindu para conversar, rir, contar piadas, cantar, celebrar a vida.

Filhos, filhas, noras, genros, netos e netas fizeram do dia das mães de 1980 um momento glorioso para Lindu.

INFINITO

Lindu morreu no dia seguinte, 12 de maio de 1980. Faleceu aos 64 anos, no Hospital da Beneficência Portuguesa, em São Caetano. Apesar de intuir que seu fim estava próximo, morreu sem saber que morria. Pediu água, virou para o lado, suspirou fundo e partiu.

Última foto de dona Lindu, tirada no dia 1º de janeiro de 1980

Mas a mulher que conhecia tão bem a natureza das partidas, partiu sem partir. Continuou viva na memória dos filhos que teve, na dos filhos que eles tiveram, na memória de tantas pessoas que ajudou. Continuou viva como modelo de mãe, de ser verdadeiramente humano.

Lindu morreu sem ver seu caçula transformado em um dos homens mais influentes do planeta. Pouco importa. Seu amor por ele seria o mesmo. Afinal, nada pode ser maior que o infinito.

FLORES COLORIDAS

No dia em que Lindu foi enterrada, Luiz Inácio era considerado pelo governo um líder sindical subversivo. Mesmo preso, e em greve de fome, a polícia permitiu que ele se despedisse pela última vez daquela que lhe deu mais do que a vida. Centenas de trabalhadores disputaram espaço no cemitério da Vila Pauliceia. O corpo de Lindu, acostumado à aridez nordestina, à cor triste e esvaecida da jurema, cobriu-se com centenas e mais centenas de flores coloridas.

LIBERDADE

No dia 20 de maio de 1980, o governo militar decidiu que seria mais prudente soltar Luiz Inácio e apaziguar os ânimos dos

No dia 20 de maio de 1980, Lula é solto pela polícia e carregado por metalúrgicos

trabalhadores. Naquele mesmo ano, junto a outros militantes de várias tendências, Lula fundou um novo partido político, o Partido dos Trabalhadores. Três anos depois, criou a Central Única dos Trabalhadores (CUT).

Com o fim da ditadura que Lula ajudou a derrubar, o Brasil instituiu eleições diretas para a Presidência da República. Lula disputou consecutivamente três eleições presidenciais, amargando três derrotas. Mas, seguindo o modelo de sua mãe, não desistiu. Tinha aprendido com ela que em todo muro há uma porta. Em 2002, tornou-se Presidente da República com 53 milhões de votos, reelegendo-se para o mandato seguinte. O menino tímido tornou-se um dos líderes de massa mais populares do mundo.

MAIS UM POUQUINHO

Nesta madrugada de 13 de outubro de 2009, quando termino de escrever este livro, sinto vontade de contar mais um pouquinho sobre a família Silva.

Frei Chico continuou militando no Partido Comunista Brasileiro por muitos anos, enquanto trabalhava como operário em indústrias metalúrgicas. Foi anistiado por ter sido perseguido pelo governo militar, e hoje vive como aposentado. Maria Baixinha, que foi babá, assistente de enfermagem e empregada doméstica, é dona de casa, assim como sua irmã, Marinete. Sebastiana, registrada como Ruth, conseguiu completar o segundo grau escolar. Foi operária e hoje é merendeira numa escola pública em São Paulo. Zé Cuia foi marceneiro. Morreu em 1991, vítima de doença de Chagas. Vavá foi operário por muitos anos na indústria automobilística. Depois de sofrer um sério acidente de trabalho, tornou-se funcionário público e está aposentado. Jaime passou boa parte da vida como marceneiro. Ainda acorda às quatro e meia da manhã para pegar ônibus e chegar à pequena metalúrgica onde faz bicos para complementar sua aposentadoria de um salário mínimo.

Lula tornou-se pai de cinco filhos: além de Marcos, Lurian e Fábio, nasceram Sandro e Luiz Cláudio. Depois da morte de seu primeiro marido, Marisa viu seu ex-sogro morrer em condições idênticas. Em 1979, Cândido perdeu a vida no táxi que dirigia. Assim como o filho Marcos, foi morto durante um assalto.

Lambari morreu dias depois de aparecerem os primeiros sintomas de câncer no fígado, em 2008. Nos últimos anos de sua vida, era apontado como o melhor amigo do presidente.

O amor folhetinesco entre Valdomira Ferreira de Góes, a Mocinha, e Aristides durou o tempo de um folhetim. Separada de seu marido, ela morreu amparada pelos filhos em 2005.

Lindu virou nome de praça em Recife e de posto de saúde em Caetés. A anônima sertaneja tornou-se personagem de livro e de filme, *Lula, o Filho do Brasil*, a maior superprodução da história do cinema brasileiro.

Embora tenha proporcionado aos filhos experiências difíceis, Aristides é lembrado por alguns devido a sua enorme capacidade de trabalho. E pelas lições fundamentais de justiça que, mesmo pelo avesso, ensinou a seus filhos.